MILLÔR
100+100
DESENHOS E FRASES

IMS

selecionados por Cássio Loredano

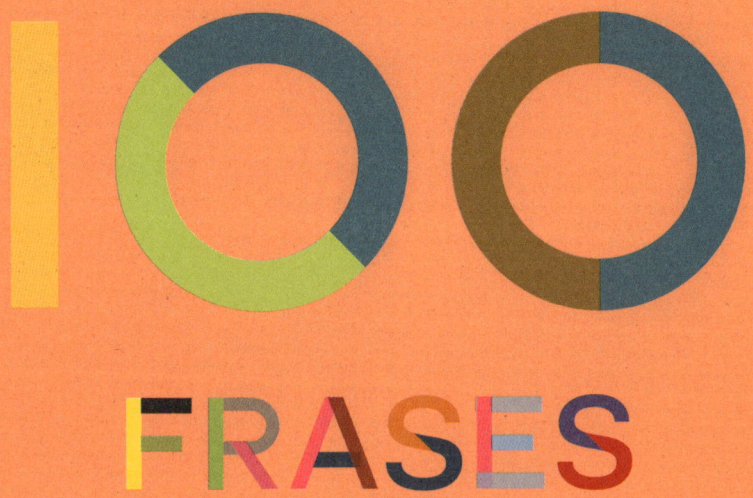

selecionadas por Sérgio Augusto

O sábio sem diploma
SÉRGIO AUGUSTO

Quando o Instituto Moreira Salles me pediu para selecionar as 100 melhores frases do Millôr, exclamei "quanta honra!", e, de imediato arrependido, resmunguei: "E agora?". Reduzir o colossal repertório de tiradas de Millôr a uma centena é desafio tão árduo quanto escolher as quatro melhores músicas de Tom Jobim, os seis quadros mais deslumbrantes de Matisse, os três balés mais sublimes de Fred Astaire e os quatro gols mais empolgantes de Pelé. Pois, só entre janeiro de 1945 (quando inaugurou a revolucionária seção "Pif-Paf" na revista *O Cruzeiro*[1]) e 2003 (quando a l&pm publicou o antológico *A bíblia do caos*), Millôr produziu em torno de 15 mil máximas, aforismos, pensamentos, meditações, apotegmas, gnomas e que outros nomes fidalgos mereçam ter as suas tiradas; e outras mais produziria nos oito anos subsequentes.

É um recorde de quantidade e qualidade inigualado em nossa língua. A nenhuma delas – e não me refiro apenas às 100 melhores que selecionei – Groucho Marx, Oscar Wilde, La Rochefoucauld, George Bernard Shaw, Ambrose Bierce e Woody Allen recusariam suas assinaturas. Era essa a classe a que o filósofo do Méier pertencia, sua ilustre grei no Olimpo dos frasistas – desde a primeira tirada impressa (nas esverdeadas páginas do *Diário da Noite*, em 1944): "Meu Bem é o nome de solteiro do marido".

Por mais versáteis que fossem os seus confrades, nenhum deles pintava ou desenhava. Ok, os geniais James Thurber e Saul Steinberg uniram também o dom da escrita e do traço, mas a ambos faltava a vocação epigramática. E como Millôr desenhava! Ele próprio dizia que, quando nasceu, um anjo incompetente, com uma das asas partidas, tentando em vão se manter no ar, lhe ordenou, imitando Drummond, com voz gaga e articulação deficiente, que se tornasse desenhista: "Vai, Millôr, vai ser guache na vida".

Original desde nascença (quem aí conhece mais alguém chamado Millôr?), nenhum outro humorista foi tão longevo sem perder no meio do caminho a rebeldia, o élan, a pegada, o *savoir-faire* e outros *savoirs*. Autodidata, franco-atirador, brioso "especialista em coisa nenhuma", polímata de muitas faces e nomes (Vão Gôgo, Volksmillor, Milton à Milanesa), sábio sem diploma, foi um dos maiores pensadores do Brasil e seu mais divertido, desconcertante e inventivo filósofo, ainda que, abusando da falsa modéstia, preferisse identificar-se como "o maior leigo do país".

---

1. Como não qualificar de revolucionária uma seção de humor que se gabava de ser "o único matutino semanal" da imprensa brasileira e que, apesar de ter apenas duas "vastíssimas páginas", mais parecia um encarte dentro de *O Cruzeiro*, uma revista à parte, nas quais Millôr brincava com tudo: guerra, cinema, teatro, poesia, anúncios, filosofia, esporte, rádio, medicina, o escambau?

Por acreditar viver mais num espaço linguístico do que num espaço geográfico, fez da palavra o seu oxigênio e o seu florete. E ai de quem lhe repetisse a platitude chinesa segundo a qual uma imagem vale mil palavras. "Diga isso sem palavras!", desafiava. E ganhava mais uma.

Contra sua verve, só a truculência da Censura levou alguma vantagem. Por ter comentado no *Pasquim* que Jacqueline (ex-Kennedy, já Onassis) nascera de rabo pra lua e soubera usá-lo, foi processado pelo ministro da Justiça do general Médici. Involuntário criador de casos com os poderosos do dia, nem no franco e risonho governo Juscelino Kubitschek deixou de ser perseguido. Outra vez buliu com uma primeira-dama e entrou pelo cano. Por este comentário, diante das câmeras da velha TV Rio: "Dona Sarah Kubitschek chegou ontem ao Brasil, depois de seis meses de viagem pela Europa, e foi condecorada com a Ordem do Mérito do Trabalho". Embora a informação fosse correta, o programa foi suspenso.

Virou clichê dizer que se ele escrevesse em inglês seria lido e festejado no mundo inteiro. Vou mais longe: faria sombra até a craques da língua inglesa, como o dramaturgo britânico Tom Stoppard, que ousou reduzir *Hamlet* a 15 minutos de duração, uma eternidade se comparados ao *reductio ad essentiam* proposto por Millôr: *Hamlet* em dois atos e oito palavras. No primeiro ato, o dubitativo príncipe entra em cena e pergunta, segurando uma caveira: "Ser ou não ser?". No segundo, diz apenas: "O resto é silêncio". E cai o pano.

Ainda que dominasse o inglês como poucos entre nós (traduzidos por ele, Shakespeare e Harold Pinter nunca soaram tão bem em português), jamais se arrependeu da língua que o destino lhe deu e que ele tão magistralmente soube tratar. Dominava-a à perfeição, buscando, obstinadamente, a imperfeição: a suposta imperfeição da língua falada, coloquial. Em sua prosa, cometia toda sorte de firulas e audácias, e até o estilo anfigúrico de Guimarães Rosa parodiou, numa versão (ou riversão) da história de Chapeuzinho Vermelho.

Por ser a concisão o *timing* do humor escrito, não gastava 11 palavras onde cabiam dez – e às vezes conseguia o mesmo efeito com nove. Vez por outra, porém, desobedecia a esse preceito e desembestava, só capitulando à prolixidade para gozar seus praticantes, como fez numa série de "provérbios prolixados", em que gastava cinco vezes mais palavras para enxundiar máximas enxutas como, por exemplo, "águas passadas não movem moinhos". Que, depois de millorianamente prolixada, ficou assim: "A substância insípida, inodora e incolor que já se foi não é mais capaz de comunicar movimentos ao engenho de triturar cereais". Ou seja, não era mais uma máxima, apenas um máximo de vocábulos redundantes.

De uma criatividade assombrosa, volta e meia cruzamos com expressões, chistes, brincadeiras, definições e sacadas jornalísticas, aparentemente originais e inéditos, que na verdade foram inventados por ele há alguns ou muitos anos. Perguntas cretinas, piadas explicadas e desconstruídas, fábulas e adágios virados pelo avesso, definições, plurais e coletivos absurdistas. No reino das palavras, nada o inibia. Nem mesmo os trocadilhos: "Brasil, país do faturo".

Cético inclusive em relação ao ceticismo, Millôr desprezava todas as ideologias ("livre como um táxi" era sua divisa favorita) e qualquer modismo (tinha, como Shaw, uma insopitável desconfiança de qualquer ideia com mais de seis meses de uso), mas orgulhava-se do ofício por saber o humorista um ser à parte, um tipo que não é chamado para congressos, não é eleito para academias, não está listado entre os cidadãos úteis da República, um sujeito que não planta, não colhe, não estabelece regras de conceito ou comportamento.

De todo modo, foi com ele que aprendi que a música é a única arte que nos ataca pelas costas; que os analfabetos jamais erram na colocação da crase; que foi no Nordeste brasileiro que se inventou a lavagem a seco; que de madrugada o melhor amigo do homem é o cachorro-quente; que o círculo é uma linha que não tem mais ambição; que o *gourmet* é um comilão erudito; que São Jorge é o John Wayne do céu; que a democracia começa com três refeições diárias; que a única maneira segura de pregar um prego sem machucar o dedo é segurar o martelo com as duas mãos; que a CTI é uma câmara funerária com taxímetro; que pé de atleta tem cura, mas cérebro de atleta, não; que o maior anticoncepcional é o mau hálito; que todos os homens nascem iguais, e alguns até piores; que o ego é a única coisa que vaza pra cima; que o dinheiro não só fala como manda calar a boca; que os bravos morrem de pé, porque em geral o chão está mijado; que o delator ganha o pão com o suor do dedo; que os médicos usam máscaras não por questão de assepsia, mas pra não serem identificados; que o arreglo é o caminho mais curto entre a ideologia e o objetivo; que quem apostou no caos não vai perder dinheiro; que é preciso ter coragem e dar pseudônimo aos bois.

Perceberam como o melhor do Millôr não cabe em 100 frases?

Por saber que a posteridade chega quando a gente menos espera, e por sua irrestrita desconfiança da imaginação alheia, escolheu seu epitáfio com bastante antecedência: "Não contem mais comigo". Felizmente, com a sabedoria que nos legou, Millôr nos deixou amparados para todo o sempre.

Um grande desenhista, o escritor
CÁSSIO LOREDANO

"Do verbo partimos, ao humorismo chegaremos."
Millôr, *Pif-Paf*, 13.08.1964

João escreveu *logos*, que São Jerônimo traduziu por *verbum*: no princípio era o verbo, e a gente entendeu literalmente, nessa inclinação que se tem para o latente, para o obscuro, para o misterioso. Lutero meteu direto *Wort*, palavra. Há 17 séculos que se aceitou e adotou essa precedência, esse credo cego na primazia da palavra como substituta instantânea (e pretendida possibilidade de ordenação) do caos; em português, desde a tradução do padre João Ferreira de Almeida, no século XVII.

Millôr é escritor e desenhista. Nesta ordem: primeiro escritor. Não importa se o futuro se ocupará mais do desenhista, inclusive porque sua obra literária está, obviamente, toda na rua, e a obra gráfica muito menos. Não interessa no momento se o futuro decretará, e não é impossível, que o desenhista seja maior que o escritor. Importa dizer como ele se via e é visto agora: um homem de letras. Que desenhava. Desenhista brilhante, não tinha a menor vaidade dos desenhos. E era vaidosíssimo de seus textos. É muito comum. A palavra, ele estava convencido, é mais subida, é um salto mais alto do espírito, e Millôr amava a palavra sobre absolutamente todas as coisas. Primeiro escreveu. Depois desenhou.

Desenhar é óbvio, qualquer um desenha, rabisca enquanto telefona, recorre ao lápis no caso de plantas, planos, caminhos, mapas, desenha objetos cujos nomes ignora ou esqueceu. É uma capa já natural em cima da natureza mais íntima de bicho. Qualquer criança demora mais para falar do que para dominar a velha abstração da linha. Que é: dentro dos traços é papel, pedra, parede, chão. Fora também. Dentro e fora, a mesma matéria e da mesma cor. Mas dentro é coisa, e fora é nada. É claro e antigo. Agora, ler e entender, ler e escrever é outra história, é mais recente. A linha é da idade das constelações, jogo de ligar os pontos luminosos já na primeira noite do hominídeo.

Ler e escrever foi ainda agora. Brinquedo mais novo, moleque é só euforia. Ainda mais quando não é para todo mundo – e escrever não é, ser escritor não é. E, assim, defendia – pouco importando que outros circos movimentassem muito mais dinheiro que o do papel impresso, e com a pitada de provocação que botava em tudo –, vivia dizendo que devia ganhar muito melhor, pelo menos ser mais valorizado porque tinha mais valor, simplesmente porque trabalhava com a palavra. Que escrever era mais do que fazer música, disse numa entrevista ao *Pasquim*. (Bruno Tolentino andou repetindo isso ultimamente, e não despido de alguma razão, a julgar pelas iras que convocou.)

Millôr Fernandes pertence a essa raça de gente que não é que despreze, mas desconhece e sequer pode conceber algo como preguiça mental; que não consegue estar quieta com a mente, sempre armando, imaginando, se perguntando, duvidando, questionando. A orfandade prematura e os trancos que a vida lhe foi dando atrapalharam até impedir uma vida escolar, uma formação regular, com boletins, passagens de ano, subidas de nível curriculares. Mas não seguraram e devem ter mesmo aguçado uma curiosidade do tamanho dum bonde e o projeto de, tanto quanto possível, abarcar a enciclopédia, saber tudo que fosse passível de conhecimento e ignorar um mínimo inevitável de coisas, num prazer genuíno e numa alegria de menino que o levavam a repetir Clarice Lispector: "O bom de aprender é que, quando você aprende, você sabe". E ia nos livros como quem vai num prato de comida. A biblioteca do estúdio da praça General Osório, no Rio, tinha uma estante cujas prateleiras, de alto a baixo, eram pesadas de dicionários, livros de palavras. A lembrança da dificuldade do começo parece ter estado sempre ali, latente, servindo de motor e combustível para o valor que ele dava a aprender e a saber.

Aprendeu sozinho – e com que garra! –, e soube muito. Tinha também muita vergonha de fazer alguma coisa menos bem. Como se não fosse dele a sentença "grande erro da natureza é incompetência não doer". E assim foi que desenhou. Escrever foi porque tinha que escrever, foi sua vida, expressão máxima daquela alma. E desenhar foi porque precisou, pouco a pouco, substituir Péricles Maranhão na ilustração do seu "Pif-Paf", página dupla humorística que publicou n'*O Cruzeiro* entre 1945 e 1963. Mas, aí, como se esmerou, e como desenhava. Usava tudo – as fotos da sua prancheta mostram aquela floresta de lápis, esferográficas, pastel, giz, penas, pincéis para nanquim, aguada, aquarela, Ecoline, guache, têmpera, óleo; fez colagens, desenhou com o computador, foi nisso pioneiro. Tem desenhos límpidos e desenhos de tramas carregadas, desenhos claros e outros de cores vivíssimas, cada coisa o obrigando a uma abordagem específica, ao uso radical da liberdade infantil que a fotografia botou no colo dos artistas plásticos do século xx. Sim, porque, sem a câmera assumir, por exemplo, o retrato e o paisagismo documental, nada de Picasso nem de cubismo, nada de Klee, nem de Matisse, nem de Steinberg, gente liberada para desafios do tipo figura/fundo e espaço/tempo, obrigada a reaprender a desenhar como criança, podendo ou *tendo que* abandonar, violentar a perspectiva clássica que se mourejou séculos para conseguir. E aí temos Jean Dubuffet, que não sei se Millôr já conhecia quando começou a publicar desenhos nos anos 1940. Mas que já sabia as liberdades que podia tomar, já sabia. Vinha com a força do novo, abrindo janelas para os próximos (até aqui) 70 anos, iluminando e arejando, espanando o mofo do período Dutra, daquele Brasil pré-bossa nova, pré-Pelé/Garrincha.

E aqui estão 100 exemplos de sua generosa obra gráfica, com trabalhos representantes de todas as décadas. Mas atenção ao *ritornello*. Os desenhos aqui vêm a reboque da palavra. Este é um livro de imagens cujo motor são 100 frases de Millôr Fernandes selecionadas por Sérgio Augusto para um fôlder que acompanhava o número a ele dedicado dos Cadernos de Literatura Brasileira do Instituto Moreira Salles. Foram as frases buscar seus pares, seus correlatos gráficos no acervo Millôr do ims. Pois, em Millôr, os desenhos vêm sempre a reboque da palavra. Isso é assim porque é. Aí atrás se disse ilustrar ou ilustração do "Pif-Paf". Palavrinha – ilustração – complicada, antipática, porque implica dependência, subordinação. Alguém dirá que é imprópria, porque na maioria das vezes o desenho se lança ao voo, tem vida e força em si, fica muitas vezes melhor que "seu" texto. Claro, certo. Mas: vem depois de algo e estaca antes desse mesmo algo. Que é a palavra. Sempre. Não há para onde correr. Millôr começou e começa pela palavra, até se tornar homem de letras, bicho eminentemente literário. É inescapável: este grande desenhista é, antes de mais nada, escritor. Não creio que o traia dizendo que primeiro surge a ideia verbal e que o desenho se faz a partir dela, é concebido ou como apoio a ela ou para iluminá-la, fazê-la surgir. Antes de o lápis tocar o papel, há o discurso; o lápis toca o papel *porque* há o discurso. É a ordem: palavra, imagem, palavra; primeiro e por último a palavra. Mesmo a maior parte dos desenhos desprovidos de título, legenda, fala é presidida pelo nome, contém o som de uma voz, é claramente traduzível – e eu não disse substituível –, é verbalizável.

Não é o que se infere desse seu sacerdócio de uma vida, com aquele ror de "missais" na parede? Não é isso que ele está dizendo quando manga "uma imagem vale mil palavras, mas diga isto sem palavras"?

P.S.: A tudo se pode agregar um grão de sal. Se Millôr se queria escritor, exigia ser considerado caricaturista no sentido mais amplo do vocábulo, ou seja, aquele que critica se valendo de desenhos. Ou não teria primeiro detestado e depois desprezado Herman Lima, que nos quatro volumes da sua *História da caricatura no Brasil* ignora absurdamente seu nome, que aparecia semanalmente na revista mais popular do país, na época havia já quase 20 anos. Depois, seria prudente dar atenção à ameaça que fazia o *Jacaré*, encarte de humor editado por Jaguar na revista *Senhor* de outubro de 1962, de traçar os que não achassem Millôr antes desenhista que escritor. Dava-lhes "a última oportunidade de se arrependerem. Os que recalcitrarem serão comidos." Caramba.

O acaso é uma besteira de Deus.

Morrer é uma coisa que se deve
deixar sempre pra depois.

O Brasil é os Estados Unidos onde eu vivo.

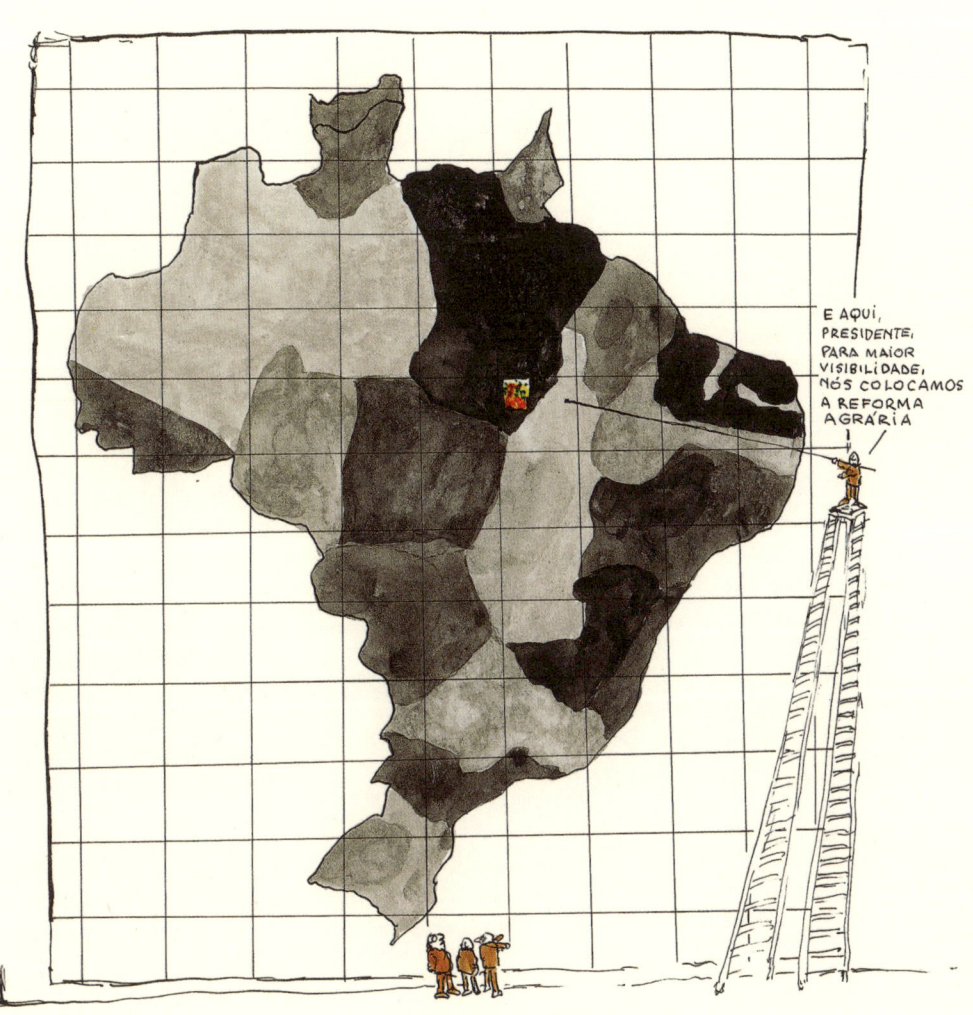

Um homem é adulto no dia em que começa
a gastar mais do que ganha.

A invenção do Alka-Seltzer foi
uma tempestade em copo d'água.

Nasci com talento melódico numa época
em que o pessoal só se interessa por percussão.

Analista é um sujeito que partindo
de premissas falsas
consegue chegar a conclusões
perfeitamente equivocadas.

Anarquia é apenas uma proposta social em que você dá ao palhaço a administração do circo.
(E quase sempre ele é muito bem-sucedido.)

Se os animais falassem
não seria conosco que iam bater papo.

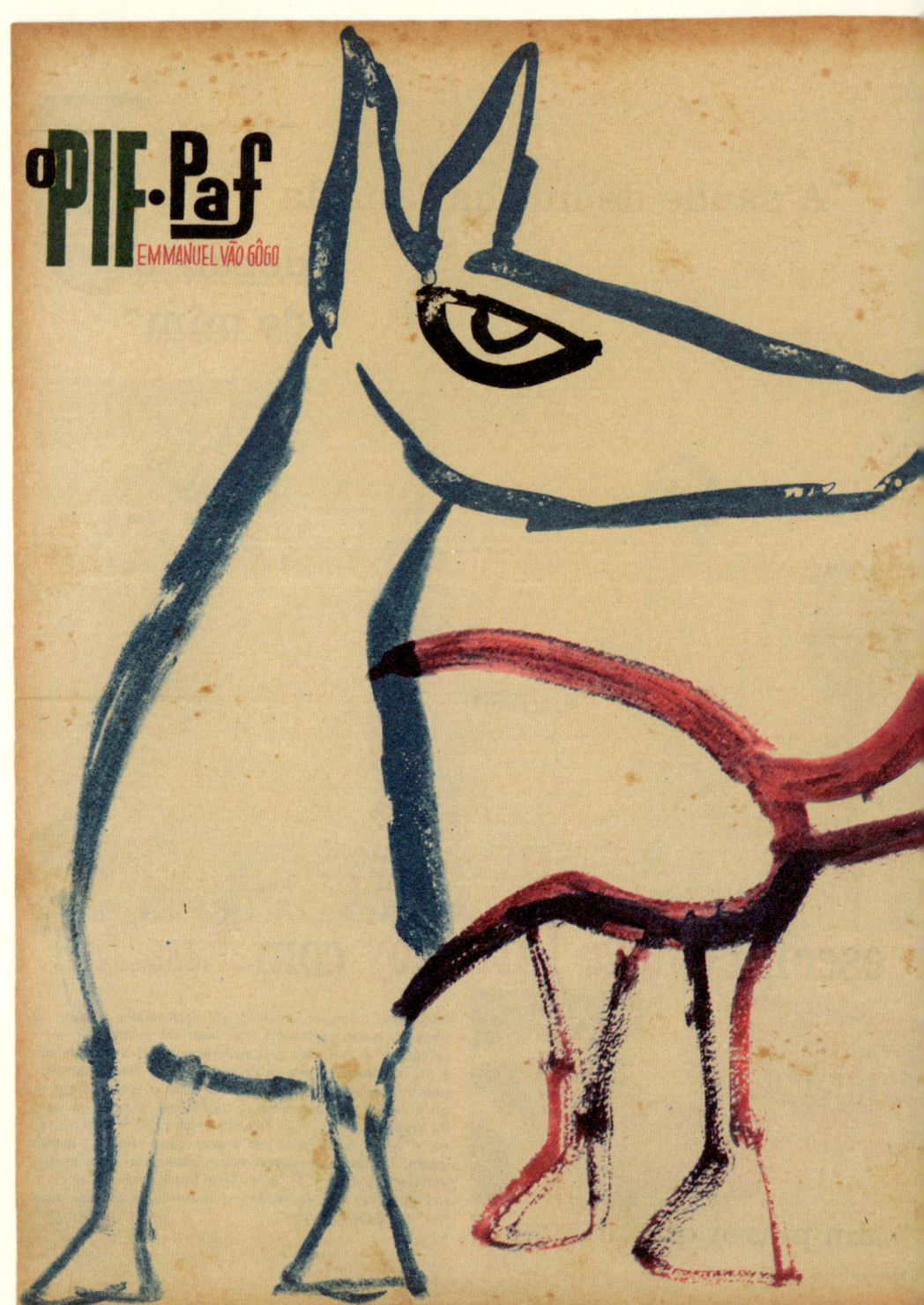

FOPOS DE ESÁBULA

(Uma tentativa B. N. (Bova Nossa) de escrever as fábulas de Esopo na linguagem do tempo em que os animais falavam.)

A BAPOSA E O RODE

Por um asino do destar, uma rapiu caosa, cérto dia, num pundo profoço, do quir não consegual saiu. Um rode, passi por alando, algois tum depempo e vosa a rapendo foi mordade pela curiosidido. "Comosa dopadre — perguntouque é que você esti fazá aendo?" "Voção entê são nabe?" responsosa a mapeira rateu. "Vem aí a mais terreca sível de toda a histeste do nordoria. Salti aquei no foço dêste pundo e guardarei a ar que brotágua sim pra mó. Mas, se vocer quisê, como é mau compedre, per me fazia companhode." Sem pensezes duas var, o bem saltode tambou no pundo do foço. A rapente imediatamosa trepostas nas cou-lhes, apoifre num dos xodes do bou-se e salfoço tora do fou, gritando: "Adadre, compeus".

MORAL: Jamie confais em quá estade em dificuldém.

EMMANUOGO VÃO GEL.

Nunca deixe de não fazer amanhã
o que pode deixar de fazer hoje.

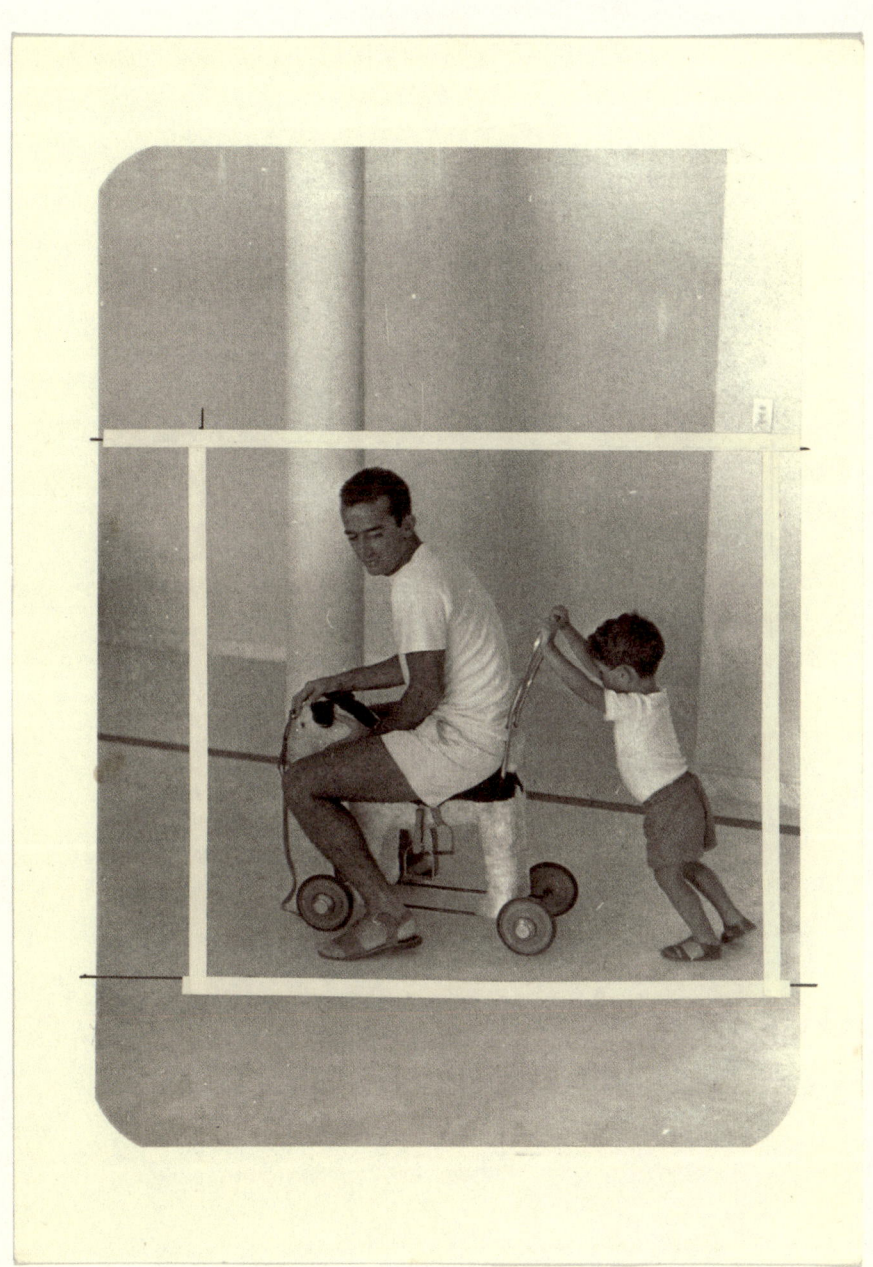

Nas noites de Brasília, cheias de mordomia,
todos os gastos são pardos.

SE NIEMEYER TIVESSE FEITO ISSO DE VIDRO, ELES TOMAVAM MAIS CUIDADO

Um desses livros que quando você larga não consegue mais pegar.

HÁ ESCRITORES QUE SE ACHAM ETERNOS. MAS SÃO APENAS INFINDÁVEIS.

Minha especialidade e meu orgulho:
sou o maior leigo do país.

O LIVRO VERMELHO DOS PENSAMENTOS DE MILLÔR

**MILLÔR FERNANDES
1612 (A.C.) – 2.098 (D.J)**

Nascido na cidade baiana do Meyer, Millôr Fernandes desde cedo revelou filmes mostrando ainda no berço o seu pímú incomensurável. Admiradores de todas as partes do mundo desde logo deixaram de vir ao Brasil porque eram admiradores, mas não dele. Ao completar sete anos de idade partiu para os oito mas não se deteve aí e continuou até hoje numa coerência cronológica verdadeiramente espantosa. Quando completou seu curso primário já sabia todas as primeiras letras e somava com facilidade até três algarismos em apenas vinte e quatro horas. Sua entrada no curso secundário foi, como todos esperavam, feita com raro brilho pela porta da frente, tendo ele recebido, ao seu diplomar todas as demonstrações possíveis de que iria completar um curso de quatro-tro de quatro anos e realmente um recor de imbatível. Ao publicar seu primeiro livro a crítica em peso viu nele um novo expoente da arte das belas letras e enviadas as suas consequências nas consequências seu livro mostrava grande originalidade mas na companhia era extraordinariamente mal escrito sua genitora, a quem ele nu...

À
Editora Codecri Ltda.

Queiram enviar-me pelo reembolso postal um exemplar de "O Livro Vermelho dos Pensamentos de Millôr", ao preço de Cr$ 20,00.

Nome.........................
....
Endereço ....

50% dos doentes
morrem de médico.

O NEGÓ É UM GRILO NO PULMÃO QUE DESTRUIU TUAS ESTRUTURAS. PRA MIM VOCÊ JÁ ERA

Celebridade é um idiota qualquer
que apareceu na televisão.

SORRI, MARIZELDA,
É UM ESPECIAL
DA TV GLOBO

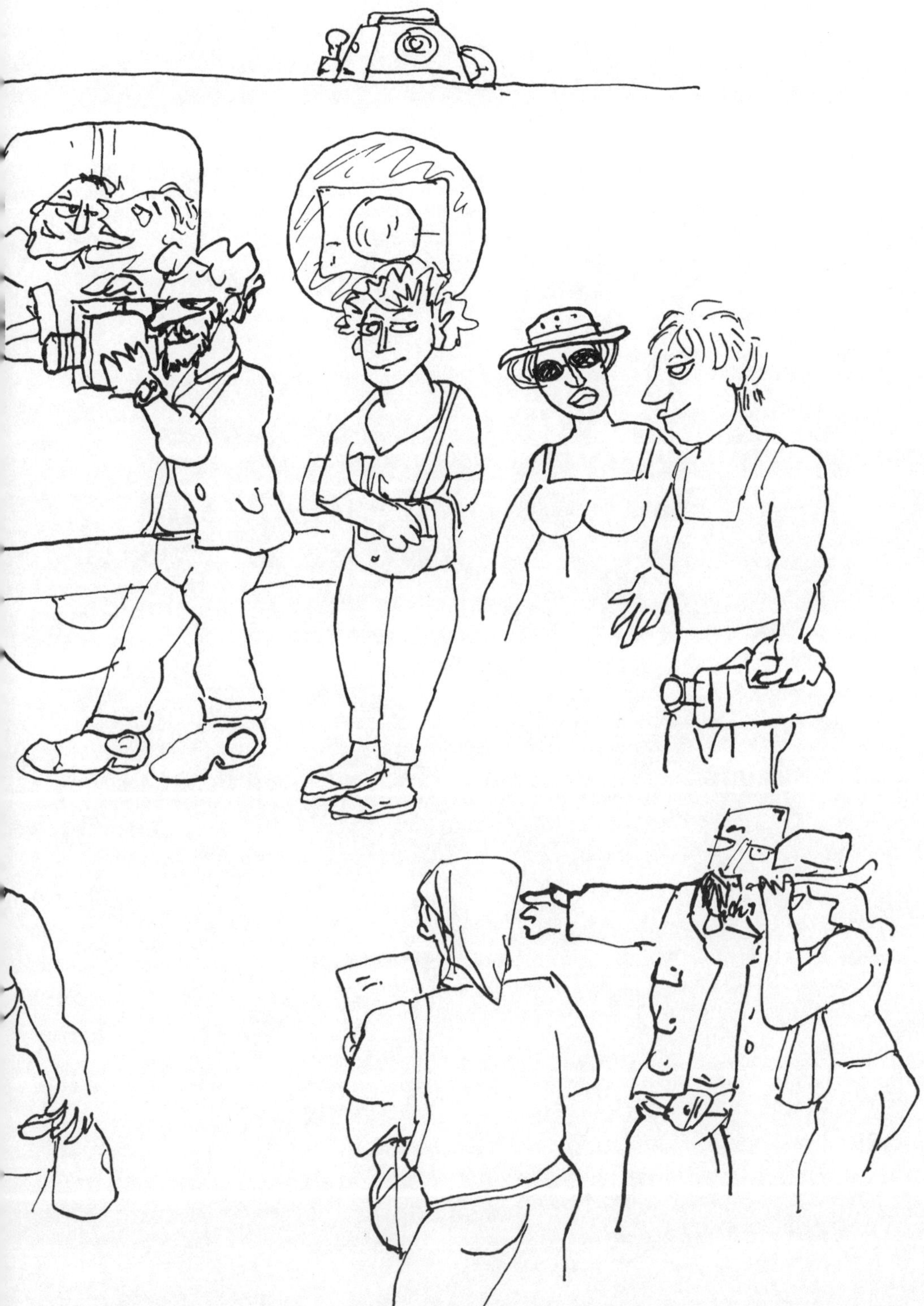

Chato é uma pessoa que não sabe que
"Como vai?" é um cumprimento,
não uma pergunta.

— E a família, vai bem?

— Ah, que nada! Minha filha se excedeu na comunicação, pegou uma bruta explosão demográfica, e agora está completamente poluída.

Todo governante se compõe
de 3% de Lincoln e 97% de Pinochet.

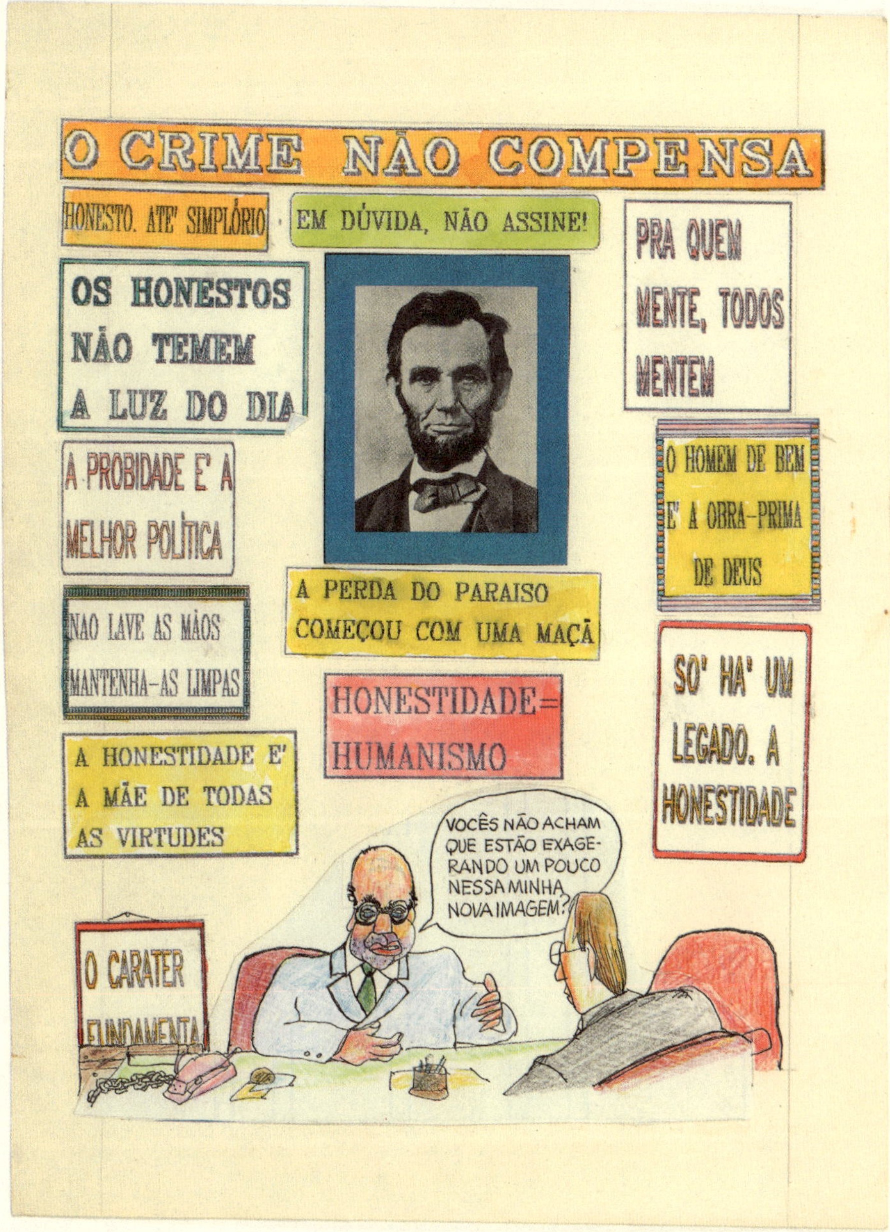

O CRIME NÃO COMPENSA

HONESTO, ATÉ SIMPLÓRIO

EM DÚVIDA, NÃO ASSINE!

PRA QUEM MENTE, TODOS MENTEM

OS HONESTOS NÃO TEMEM A LUZ DO DIA

A PROBIDADE É A MELHOR POLÍTICA

O HOMEM DE BEM É A OBRA-PRIMA DE DEUS

NÃO LAVE AS MÃOS, MANTENHA-AS LIMPAS

A PERDA DO PARAISO COMEÇOU COM UMA MAÇÃ

SÓ HÁ UM LEGADO. A HONESTIDADE

HONESTIDADE = HUMANISMO

A HONESTIDADE É A MÃE DE TODAS AS VIRTUDES

O CARÁTER FUNDAMENTA

> VOCÊS NÃO ACHAM QUE ESTÃO EXAGERANDO UM POUCO NESSA MINHA NOVA IMAGEM?

Jamais chame um amigo de imbecil.
É preferível lhe pedir dinheiro emprestado e não pagar.

MILLÔR
EM BUSCA DA IMPERFEIÇÃO

"IDIOTA MESMO É O SUJEITO QUE, OUVINDO UMA HISTÓRIA COM DUPLO SENTIDO, NÃO ENTENDE NENHUM DOS DOIS"

Dia 14 de julho, sensacional CD-Rom do colunista do DIA, Millôr Fernandes. Textos, charges e as melhores frases de um dos maiores escritores do País. E é lógico que você entendeu que esta promoção é imperdível. Ou não?

Dia 14/7, O DIA + 5,90.
Grátis, 1 mês de Internet no UOL
(até o limite de 50 horas).

UOL

O DIA
Melhor todo dia
www.odia.com.br

Disponível apenas nas áreas da Zona Sul, Niterói, Ilha e Zona Norte.

Se sua calça tem um buraco,
use-a pelo avesso.

EMPREGOS DIVERSOS
(CONTINUAÇÃO DO PRIMEIRO CADERNO)

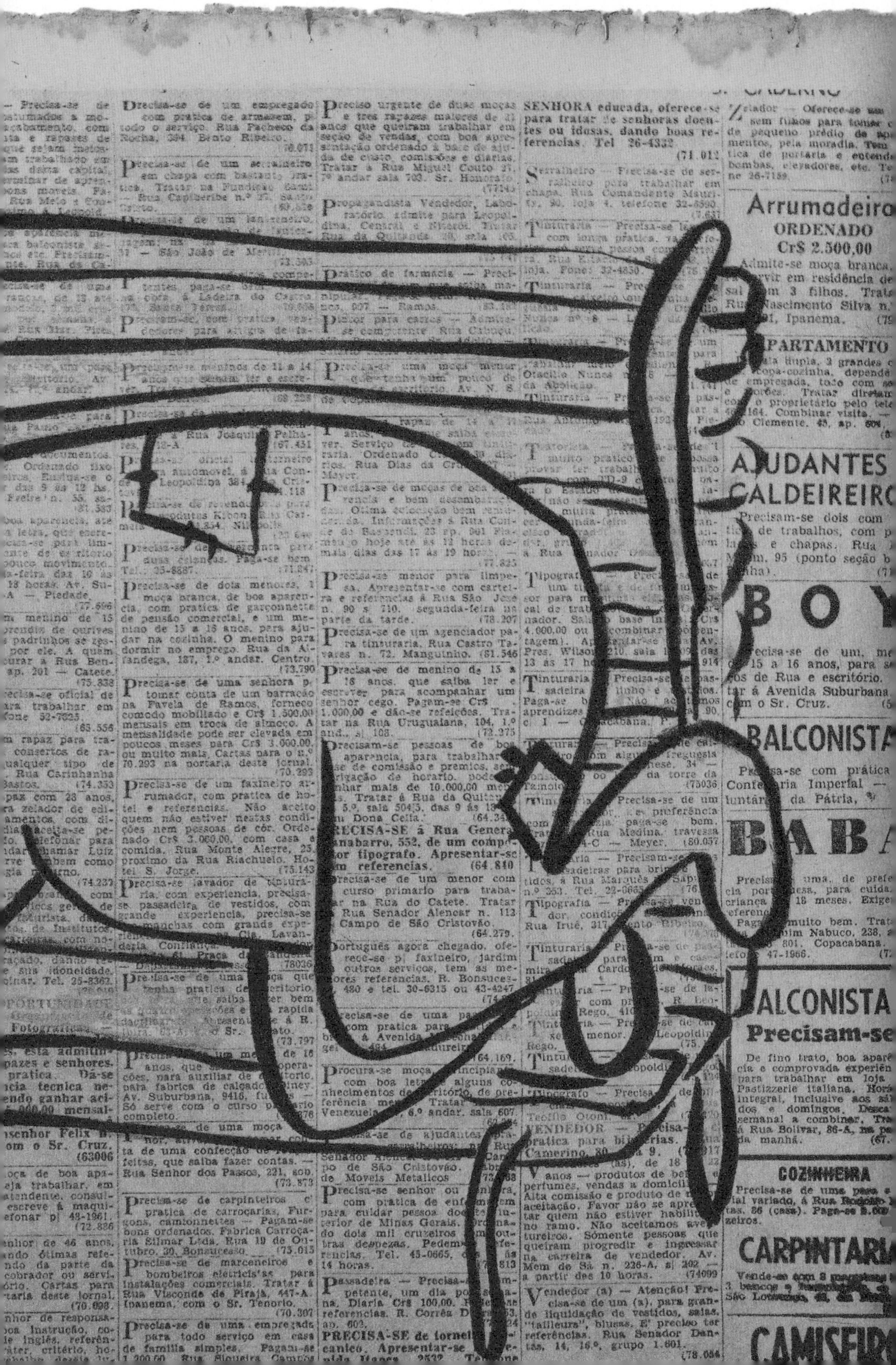

Precisa-se de estofadores e motoristas, com experiência. Tratar na rua dos Rapazes, ...	Precisa-se de um empregado com prática de armazém, para todo o serviço. Rua Pacheco da Rocha, 384 – Bento Ribeiro. (6.071)	Preciso urgente de duas moças e três rapazes maiores de 21 anos que queiram trabalhar em seção de vendas, com boa apresentação ordenado à base de ajuda de custo, comissões e diárias. Tratar à Rua Miguel Couto 21, 7º andar sala 703. Sr. Honorato. (7.734)	SENHORA educada, oferece-se para tratar de senhoras doentes ou idosas, dando boas referências. Tel. 26-4352. (71.012)	CADERNO Zelador — Oferece-se um sem filhos para tomar conta de pequeno prédio de apartamentos, pela moradia. Prática de portaria e entende bombas, elevadores, etc. N. 26-7189. (75)

(colonne di annunci classificati di giornale, coperte da disegno a pennarello nero)

Quem se curva aos opressores
mostra a bunda aos oprimidos.

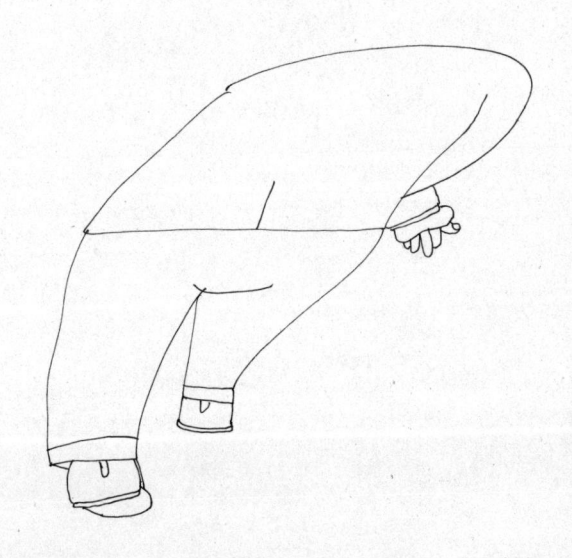

A alma enruga antes da pele.

HAI-KAI

Estou louco?
Ou minha alma
engordou um pouco?

Comida é bom, bebida é ótimo,
música é admirável, literatura é sublime,
mas só o sexo provoca ereção.

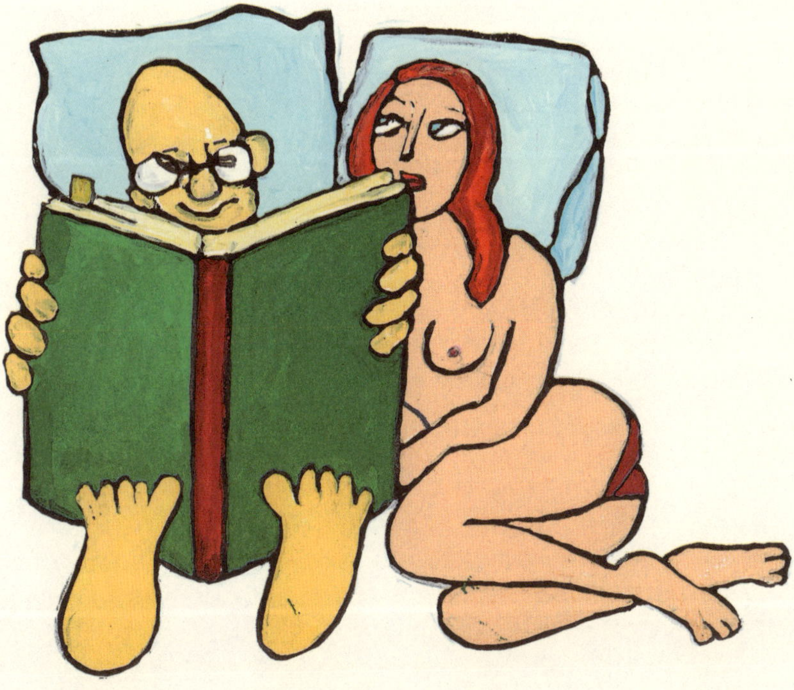

Especialista é o que só não ignora uma coisa.

— QUE HORAS SERÃO?

Os pássaros voam porque não têm ideologia.

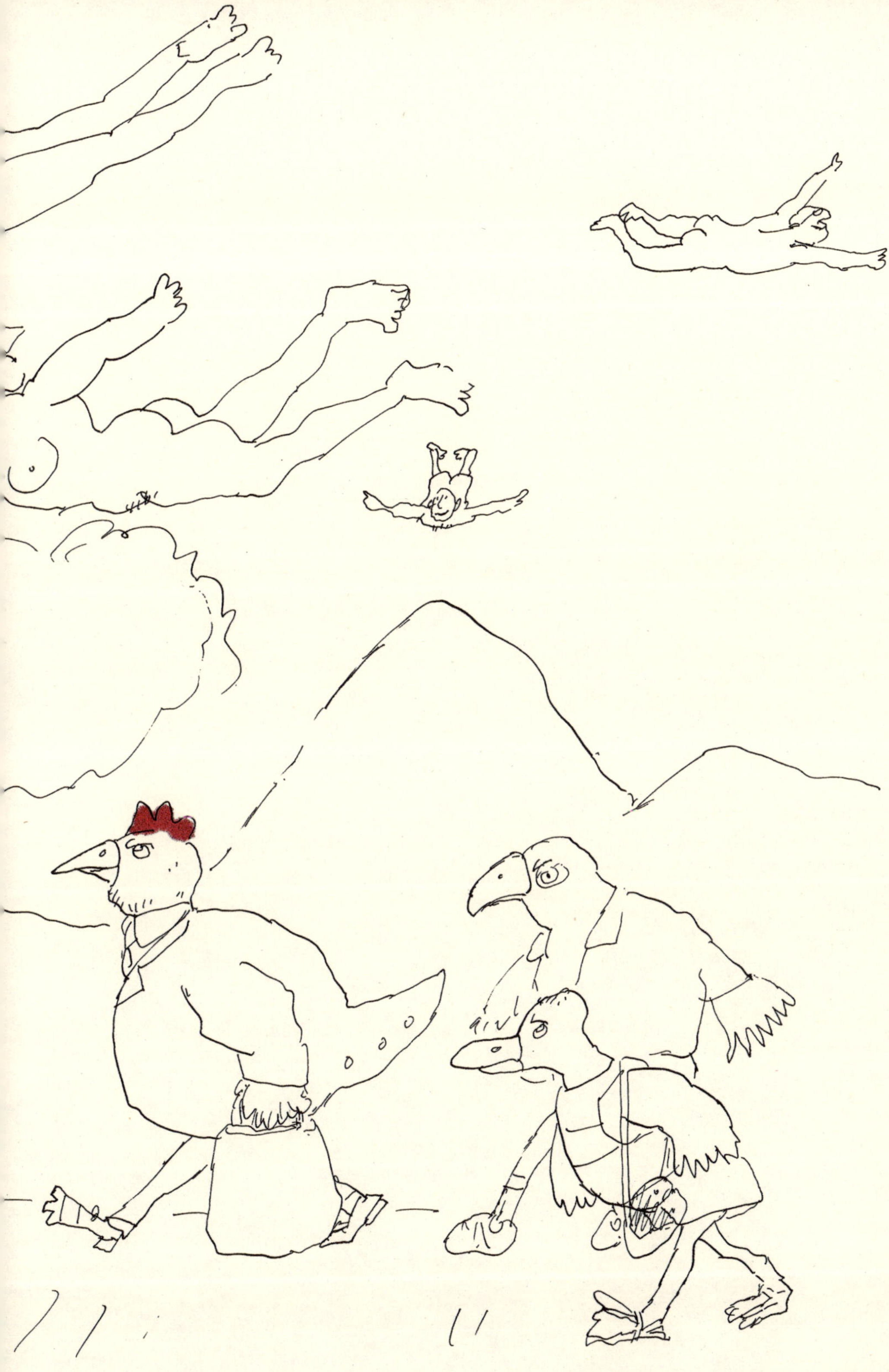

A falsa modéstia é o rabo escondido
com o gato de fora.

Millôr ENFIM, UM ESCRITOR SEM ESTILO!

① TIPOGRAFIA EM CÔR

PROVÉRBIOS À LA CARTE

NÔVO CABULÁRIO

SONOLENTO

QUADRO

②

QUADRO

DANDO NELAS, BICHO

ENGULIU UM GORILA, MAS FICOU COM O RABO DE FORA

③

QUADRO

⑤ TIPOGRAFIA EM CÔR

TIPOGRAFIA
EM CÔR

ANÚNCIOS DES
CLASSIFICADO

6

7

QUADRO

"E COMO DIZEM OS INGLÊSES: 'CHEGUEI, E, PRA PROVAR, ESTOU AQUI'"

MILLÔR E OS CRÍTICOS

QUADRO

DESENHO

8

A

TIPOGRAFIA
EM CÔR

9

Fobia é um medo com PhD.

— DOUTOR, EU TENHO A IMPRESSÃO DE QUE MEU DESENHISTA NÃO GOSTA DE MIM.

A fotografia é a mentira verdadeira.

POEMINHA A UM FOTÓGRAFO.

Retoca, meu rapaz, retoca bem;
tira aqui um pouco da papada —
mete uns cabelos mais;
em quase nada.

Corta a curva do nariz
alisa as rugas
raspa a cicatriz
e não esquece de botar
um pouco de brilho juvenil
no olhar.

Eu lhe recomendei bem
ao fazer o pedido
Não me agrada sair
tão parecido.

Toda fotografia antiga é uma punhalada.

Foto de JOSÉ MEDEIROS

HAI-KAI

Esta é a verdade;
já sou um homem
da minha idade.

O futebol é o ópio do povo e o narcotráfico da mídia.

Quem sai aos seus não endireita mais.

— MEU FILHO, NA TUA IDADE EU JÁ ERA UM ULTRAPASSADO!

O *gourmet* é o comilão erudito.

"NA DIETA PRA EMAGRECER VOCÊ GASTA MAIS PRA NÃO COMER DO QUE GASTAVA COM A COMIDA"

O *haddock* é um bacalhau que venceu na vida.

— ORA, QUERIDA, NÃO SE PREOCUPE; NADA COMO UM DIA ATRÁS DO OUTRO.

A humildade é uma espécie de orgulho
que aposta no perdedor.

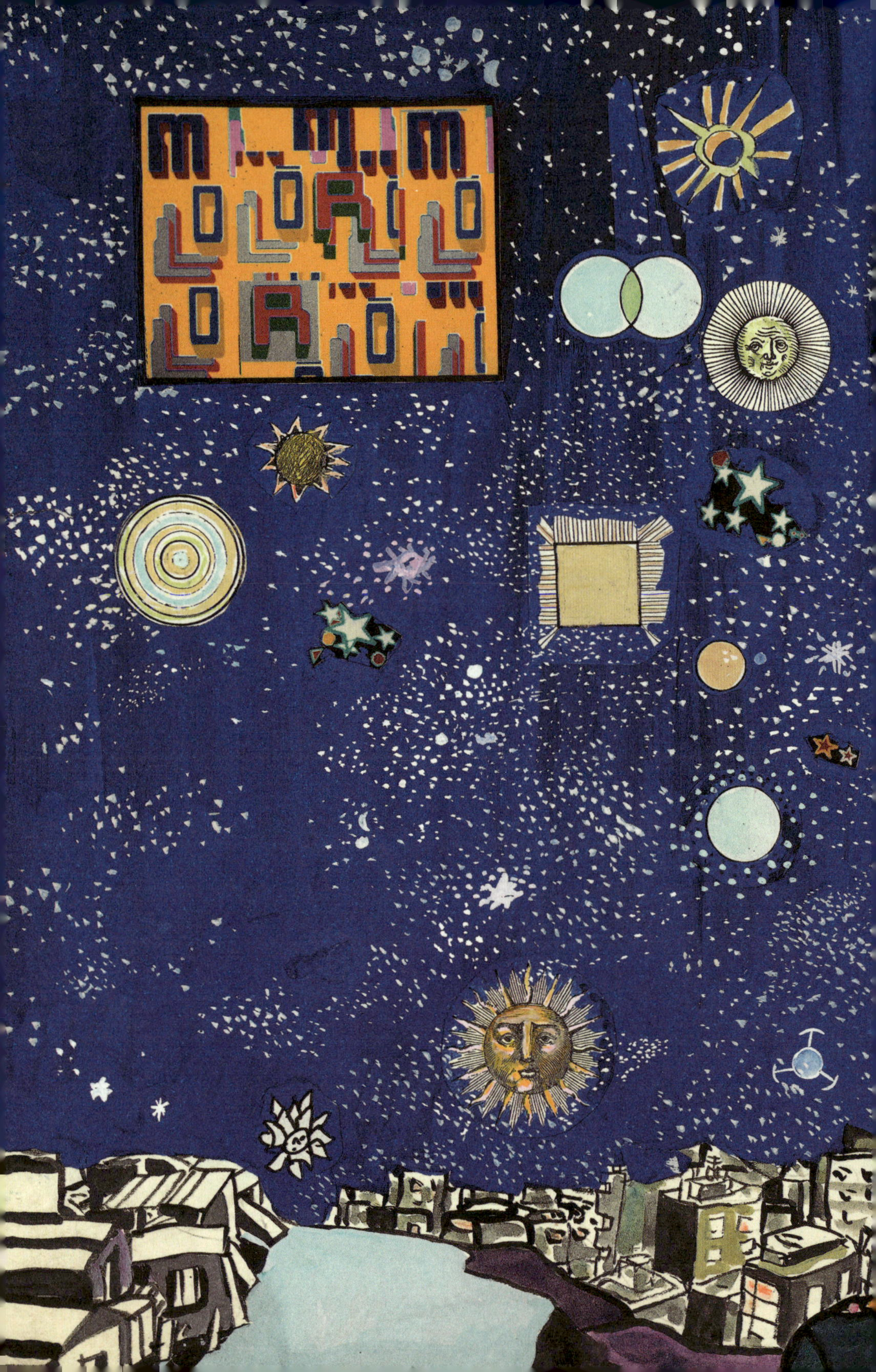

"À NOITE, CONTEMPLANDO ESSAS MARAVILHAS DO UNIVERSO, ESSA OBRA INCOMPARÁVEL DO TODOPODEROSO, BILHÕES E BILHÕES DE ASTROS BRILHANDO EM DISTÂNCIAS DE BILHÕES E BILHÕES DE ANOS-LUZ, É QUE PODEMOS PERCEBER A GRANDEZA DO INFINITO E A HUMILDADE, A PEQUENEZ, A INSIGNIFICÂNCIA DOS CIVIS!"

O humorismo é a quintessência da seriedade.

MILLÔR. ENFIM UM ESCRITOR SEM ESTILO!

AVISO: É PERIGOSO E ILEGAL LER ESTA SEÇÃO NAS ENTRE-LINHAS

Idade da razão é quando a gente faz
as maiores besteiras sem ficar preocupado.

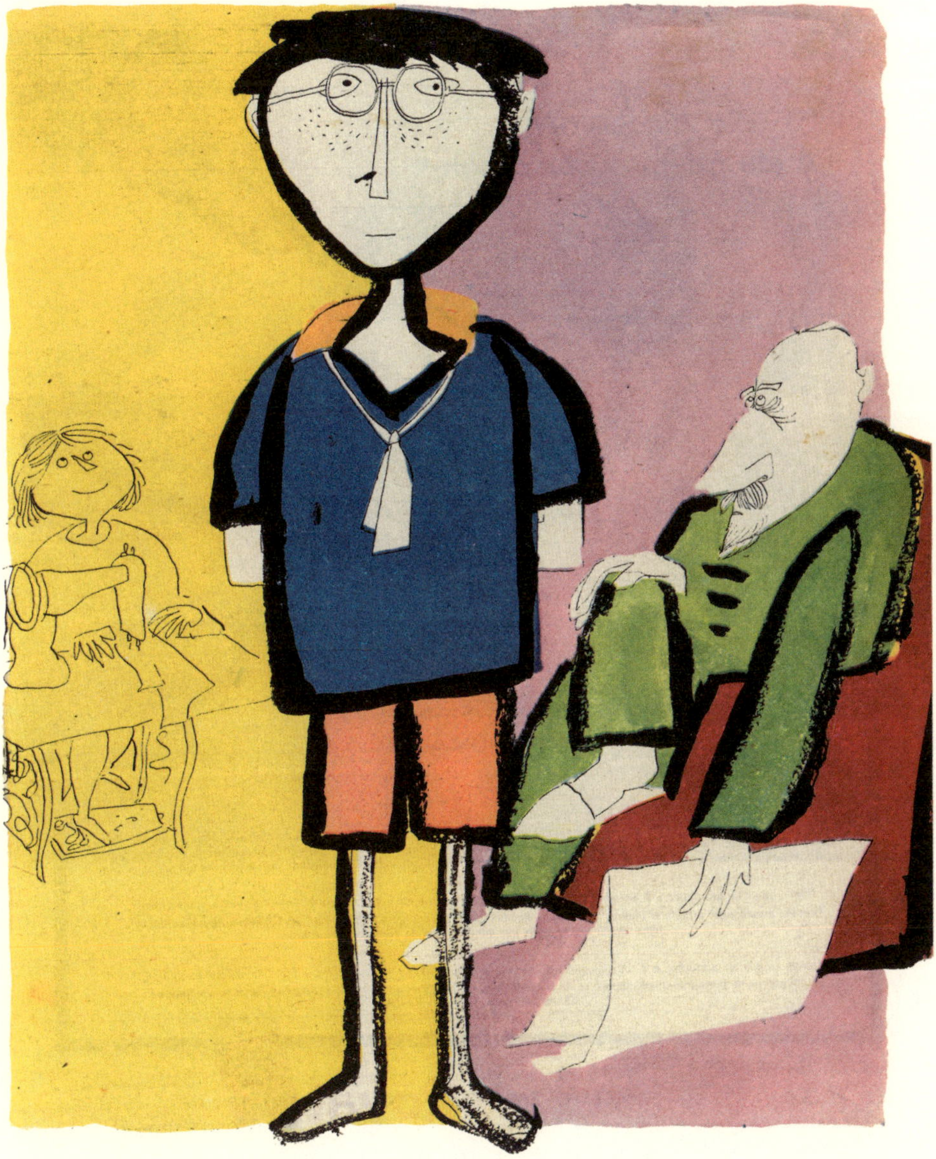

Desconfio de todo idealista
que lucra com seu ideal.

MEUS PRINCÍPIOS SÃO RÍGIDOS E INALTERÁVEIS. EU, PORÉM, NEM TANTO.

MILLÔR

Imprensa é oposição.
O resto é armazém de secos & molhados.

Milita
6º
manter
sobre os
alhadores
Manaus-Ca
caraí.
— Não permitirei
das, excursões,
com os índios. Índio
sunto da Funai e
estranho deve interf
Disse ainda
terditará
lante que
postos da
ada por 30
do Par-
ive ín-

BILHETINHO

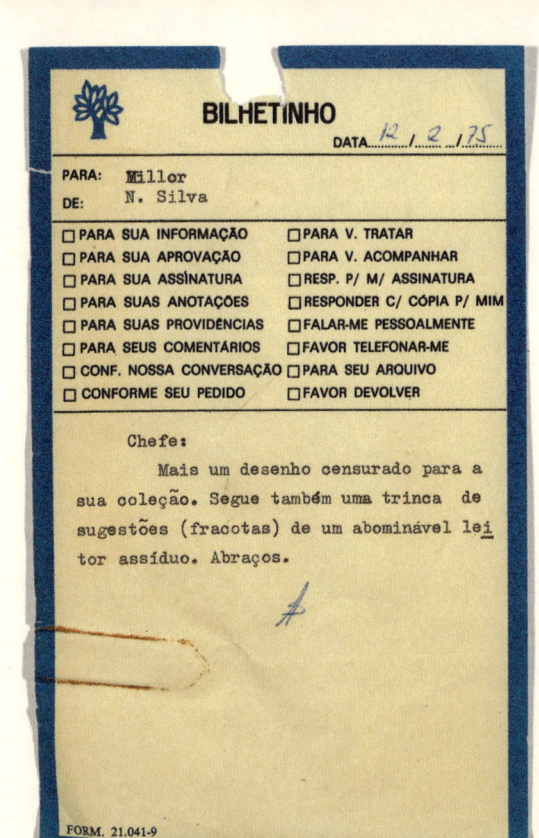

DATA 12 / 2 / 75

PARA: Millor
DE: N. Silva

☐ PARA SUA INFORMAÇÃO ☐ PARA V. TRATAR
☐ PARA SUA APROVAÇÃO ☐ PARA V. ACOMPANHAR
☐ PARA SUA ASSINATURA ☐ RESP. P/ M/ ASSINATURA
☐ PARA SUAS ANOTAÇÕES ☐ RESPONDER C/ CÓPIA P/ MIM
☐ PARA SUAS PROVIDÊNCIAS ☐ FALAR-ME PESSOALMENTE
☐ PARA SEUS COMENTÁRIOS ☐ FAVOR TELEFONAR-ME
☐ CONF. NOSSA CONVERSAÇÃO ☐ PARA SEU ARQUIVO
☐ CONFORME SEU PEDIDO ☐ FAVOR DEVOLVER

Chefe:
   Mais um desenho censurado para a sua coleção. Segue também uma trinca de sugestões (fracotas) de um abominável leitor assíduo. Abraços.

FORM. 21.041-9

Como são admiráveis as pessoas
que não conhecemos muito bem!

Millôr e a auto-análise

— MEU CARO DÁITON, VOCÊ É O MAIOR PSICANALISTA DO MUNDO!

Grande erro da natureza é
a incompetência não doer.

TÍTULO

É, PRESIDENTE, TEMOS QUE ADMITIR QUE HOUVE UM PEQUENO ERRO DE AVALIAÇÃO

Todo homem nasce original e morre plágio.

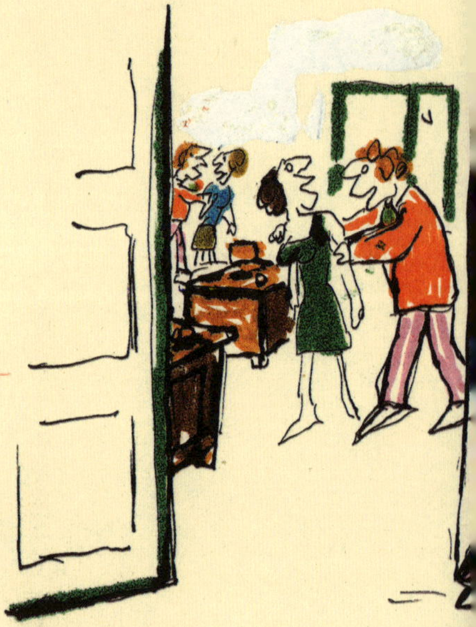

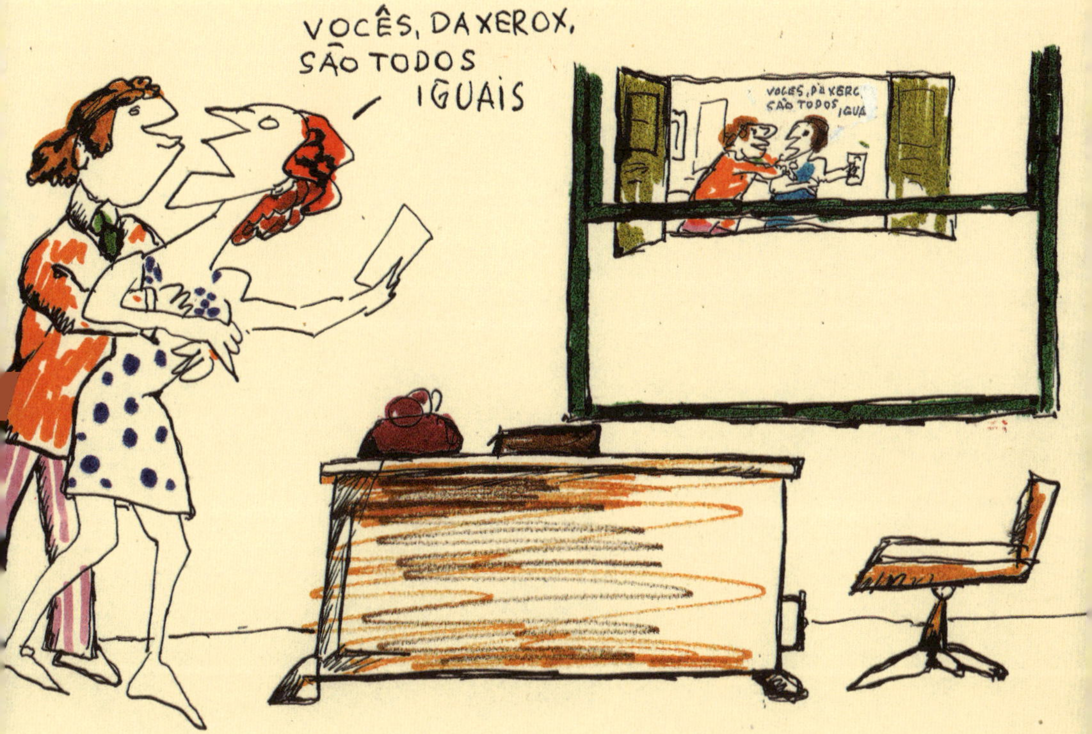
VOCÊS, DAXEROX, SÃO TODOS IGUAIS
VOCES, DAXERO, SÃO TODOS IGUA

Livre como um táxi.

MINHA HOMENAGEM SINCERA

DEPRESSA! ME LEVA PRA RUA 13 DE MAIO DE 1888!

Divagar e sempre.

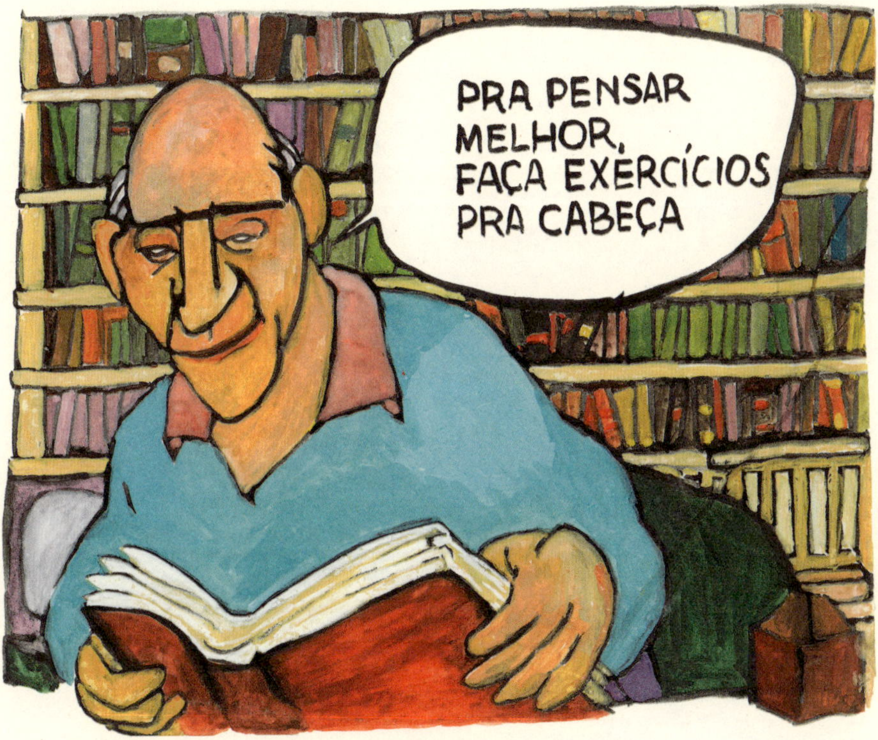
PRA PENSAR
MELHOR,
FAÇA EXERCÍCIOS
PRA CABEÇA

Monogamia é a capacidade de ser infiel
à mesma pessoa durante a vida inteira.

EU ANDO LENDO A BÍBLIA: PARECE QUE HÁ MATRIMÔNIO DEPOIS DA MORTE.

A morte é hereditária.

MILLÔR-70

— POIS É, MEU PAI: UM DIA TUDO ISTO SERÁ SEU.

A ociosidade é a mãe de todos os vices.

```
RA00 1999/09/28 16:26:28 00025
*
252071ECTXA BR
23702TESTMU DF
28091999   1619
XPL39633 28091999 1609 SCH/DF(E22)
BRASILIA/DF/DF AMPLIATION

TELEGRAMA PC
PRES REP 25760 281400P/RLF
MILLOR FERNANDES
AV.VIEIRA SOUTO, 594/402-IPANEMA
22420-000 RIODEJANEIRO/RJ

ONTOLOGICO E COMOVENTE SEU TEXTO ESTADO SAO PAULO, CADERNO CULTURA,
DOMINGO ULTIMO. PARABENS. ABRACO DIAMANTINO.

                    MARCO MACIEL VICE-PRESIDENTE DA REPUBLICA


REMETENTE
PRES REP
ANEXO III S/115 - TERREO
CEP.70150900


*
252071ECTXA BR
```

CULTURA

MILLÔR

FÁBULAS FABULOSAS

3 ECONOMISTAS PADRÃO

(à maneira do ... planalto)

Com o profundo interesse público por que são notoriamente reconhecidos e admirados, três economistas governamentais, que chamaremos de I, II e III, viajavam incógnitos pelo Brasil, à procura de dados e informações que lhes permitissem aperfeiçoar ainda mais seus planos já tão geniais em benefício da pátria.

Certa noite os três dormiam e roncavam profundamente num modesto quarto de pensão de Minas quando o I, sentindo forte comichão na perna, começou a coçar a perna do II. Como a comichão não passasse, o I esgaravatou ainda mais fortemente a perna do II, até fazer sangue. O II, sentindo algo escorrer por sua perna, pensou que era o III num momento de incontinência urinária, acordou-o, irritado, e disse que fosse se aliviar lá fora. O III levantou-se e foi até o quintal para executar o estabelecido. Mas, como por perto havia uma caixa d'água que botava água pelo ladrão, o III ficou ali no escuro, com o pinto pra fora, até o sol raiar e concluir que o jorro não era dele, mas da caixa d'água.

MORAL:

O PLANO VAI DAR CERTO. PRECISA SÓ DE PEQUENAS CORREÇÕES

O cara que completa 80 anos está, evidentemente, vivendo acima de seus recursos.

HAI KAI

Bem-vivido
O octogenário só perdeu
O colorido

Se é gostoso, faz logo. Amanhã pode ser ilegal.

HAI-KAI

Goze.
Quem sabe essa
É a última dose?

O otimismo é o pessimismo em diluição.

> EU LAVO E VOCÊ ENXUGA.

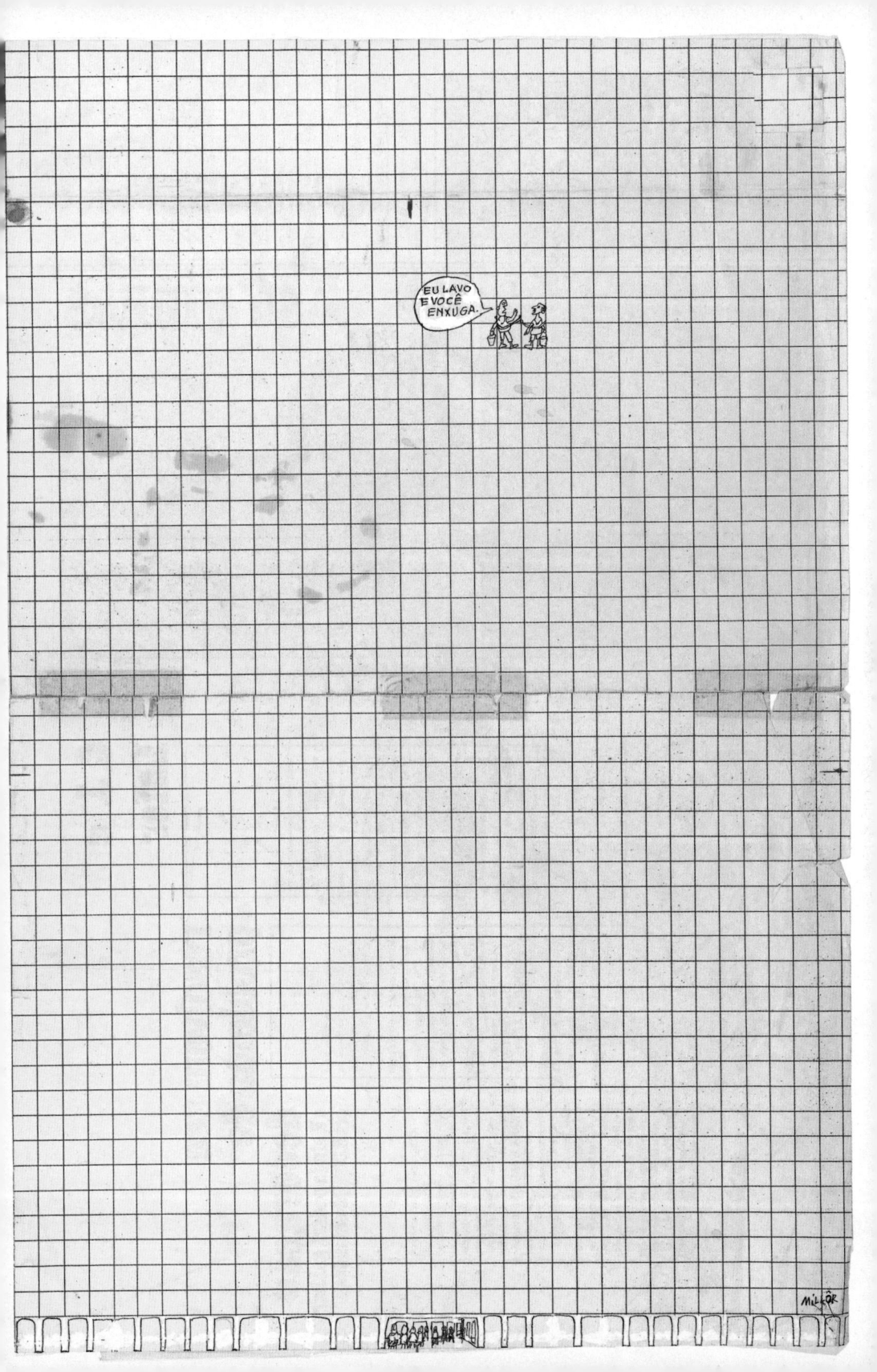

Millôr

A probidade não tem cúmplices.

"UM HOMEM HONESTO NUNCA É PROCESSADO DUAS VEZES PELO MESMO CRIME"

Deus dá o frio a quem não tem dentes.

O PIF·PAF

de EMMANUEL VÃO GOGO

CADA NÚMERO
É EXEMPLAR

CADA EXEMPLAR
É UM NÚMERO

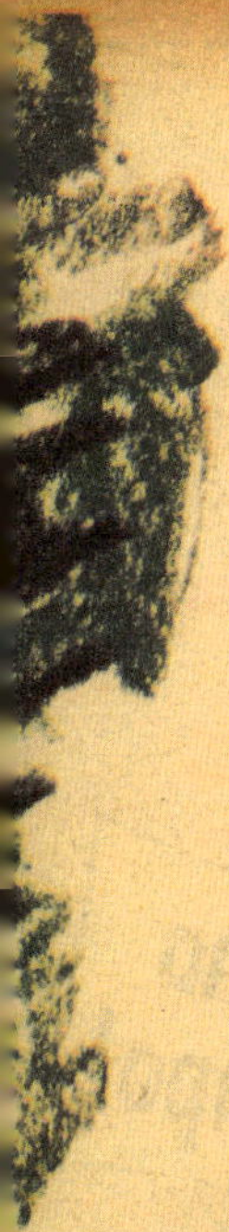

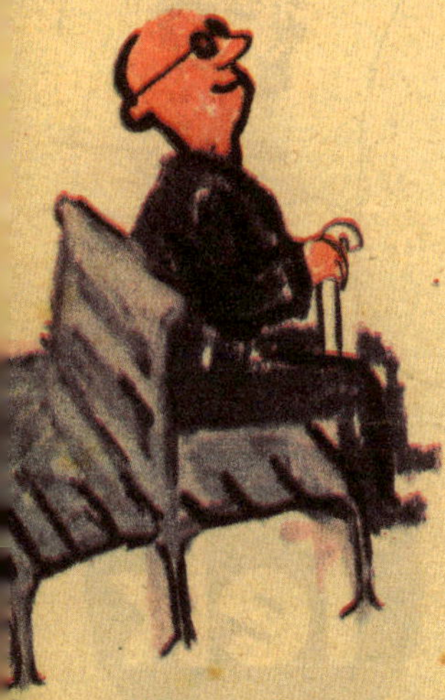

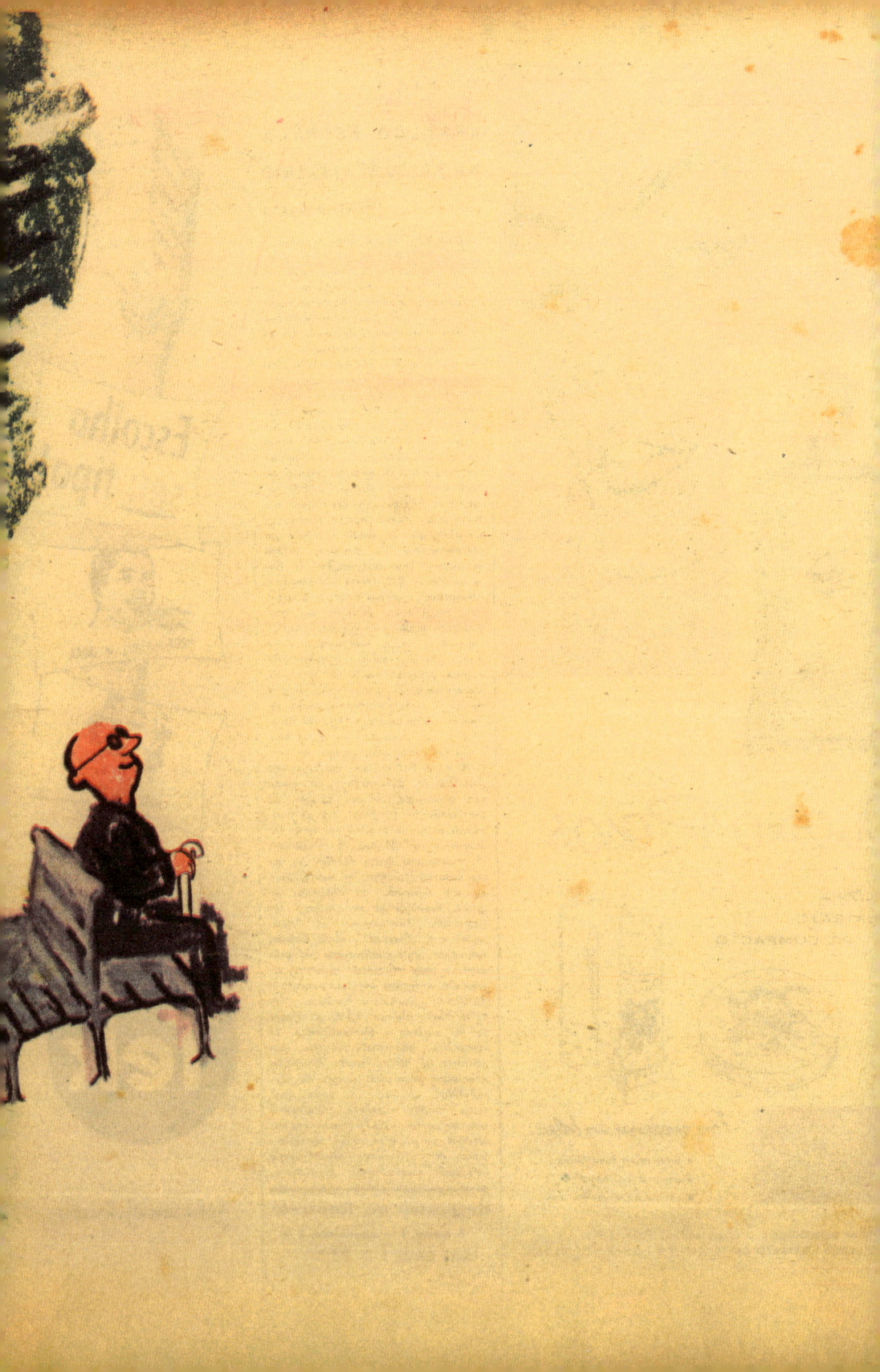

O quartzo é um mineral
que fica entre o tertzo e o quintzo.

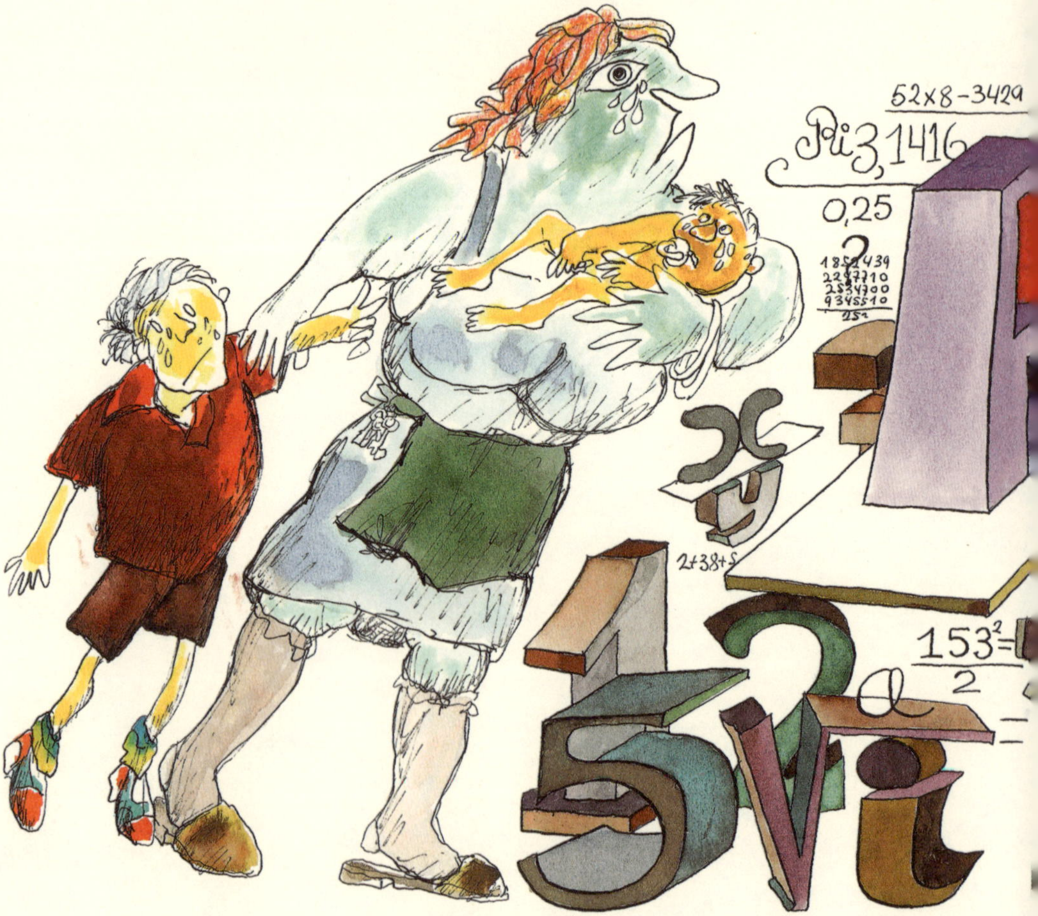
52x8-3429
Pi 3,1416
0,25

o máximo divisor comum.

A invenção da poltrona
acabou com os heróis.

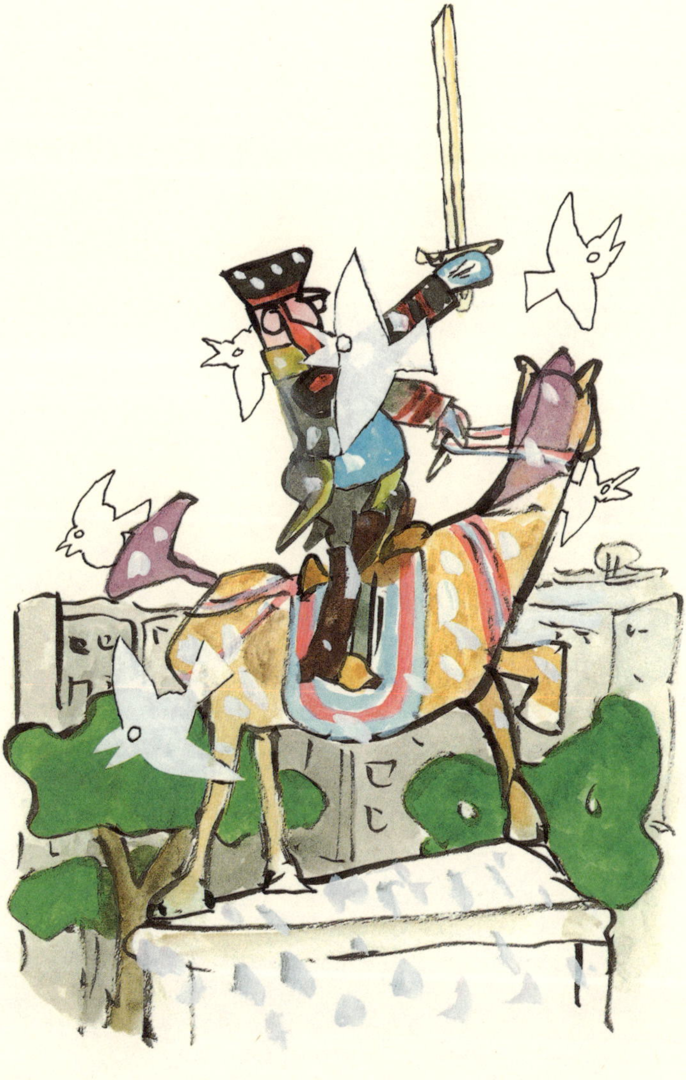

Certos escritores se pretendem eternos
e são apenas intermináveis.

OS INTESTINOS
DA OCIOLOGIA

O AUTOR, EXTENUADO E PLENO, DEPOIS
DE TER ENFRENTADO, E VENCIDO, EM
4hs 58, AS DUZENTAS PAGINAS DE "DEPENDÊNCIA
E DESENVOLVIMENTO NA AMÉRICA LATINA", COISA
QUE NENHUM BRASILEIRO TINHA CONSEGUIDO.
A PRAÇA PARIS ESTÁ A SEUS PÉS.

O dinheiro não é tudo.
Tudo é a falta de dinheiro.

MILLÔR

O DINHEIRO NÃO TEM PÁTRIA!

COMO DIZIA AQUELE PRESIDENTE AO VENDER A SUA AO FMI.

← IGOR

Dizem que quando o Criador criou o homem,
os animais todos em volta não caíram na gargalhada
apenas por uma questão de respeito.

DEUS INVENTOU A BOMBA ATÔMICA PARA CURAR A TERRA DESSA DOENÇA TERRÍVEL QUE SE CHAMA <u>SER HUMANO</u>

Conheço alguns escritores que morreram aos 30 anos
e só conseguiram entrar pra Academia aos 60.

INPS
ASILO

Não confundir ética com etiqueta,
que é apenas uma ética de butique.

VOU LHE DIZER UMA COISA ALTAMENTE GRATIFICANTE: VOCÊ É O MAIOR CANALHA QUE JÁ ANALISEI EM TODA A MINHA VIDA!

Eu posso não ser um bom exemplo.
Mas sou um bom aviso.

MILLÔR AVISA:

CUIDADO COM O DEGRAU!

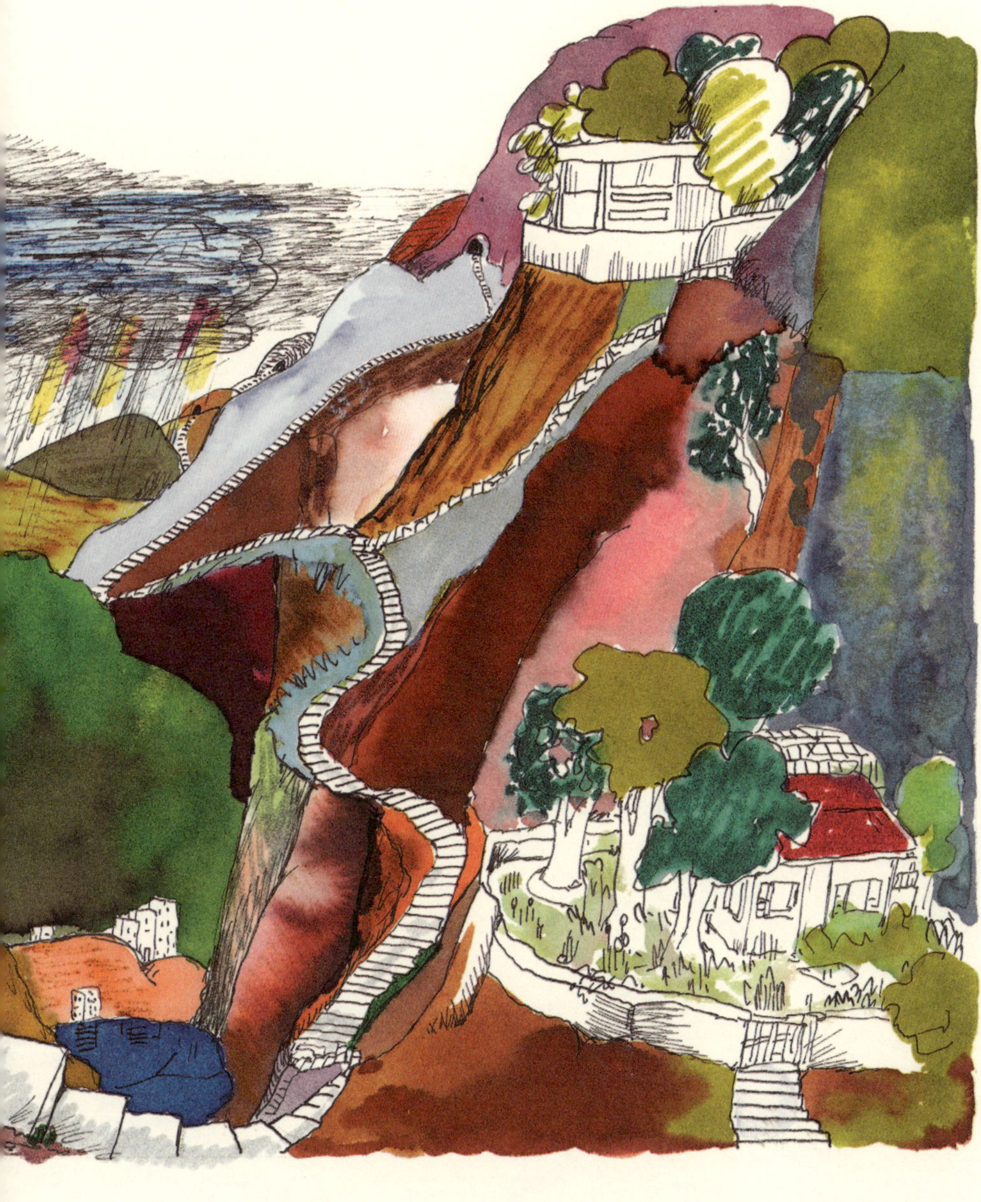

A beleza é a inteligência à flor da pele.

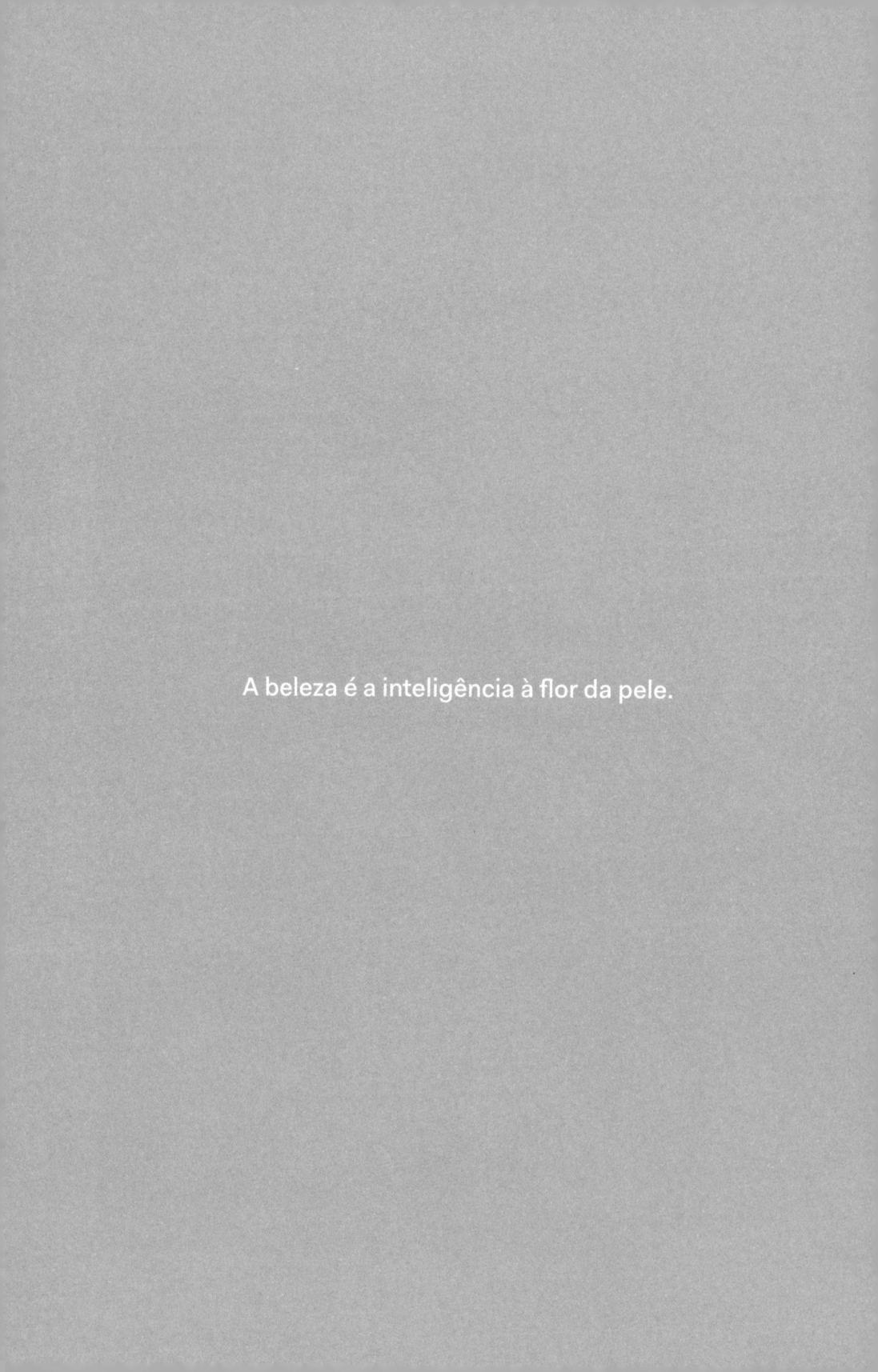

DEUS ÀS VEZES ESCREVE
CERTO POR LINHAS CERTAS

Todo líder acaba empregado de sua liderança.

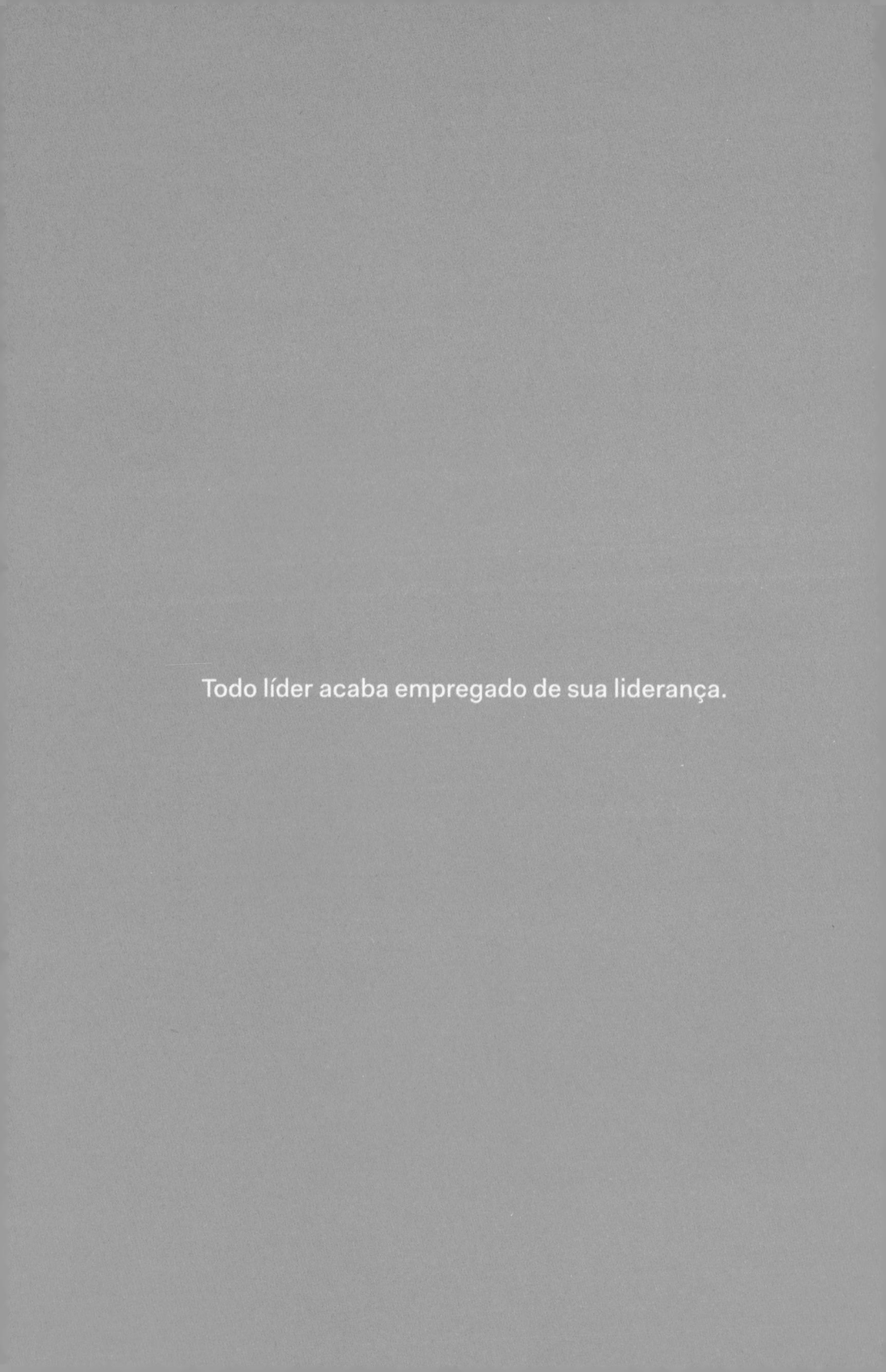

COITADO DO LULA!
É VICIADO EM
SI MESMO.

Dinheiro compra até amor verdadeiro.

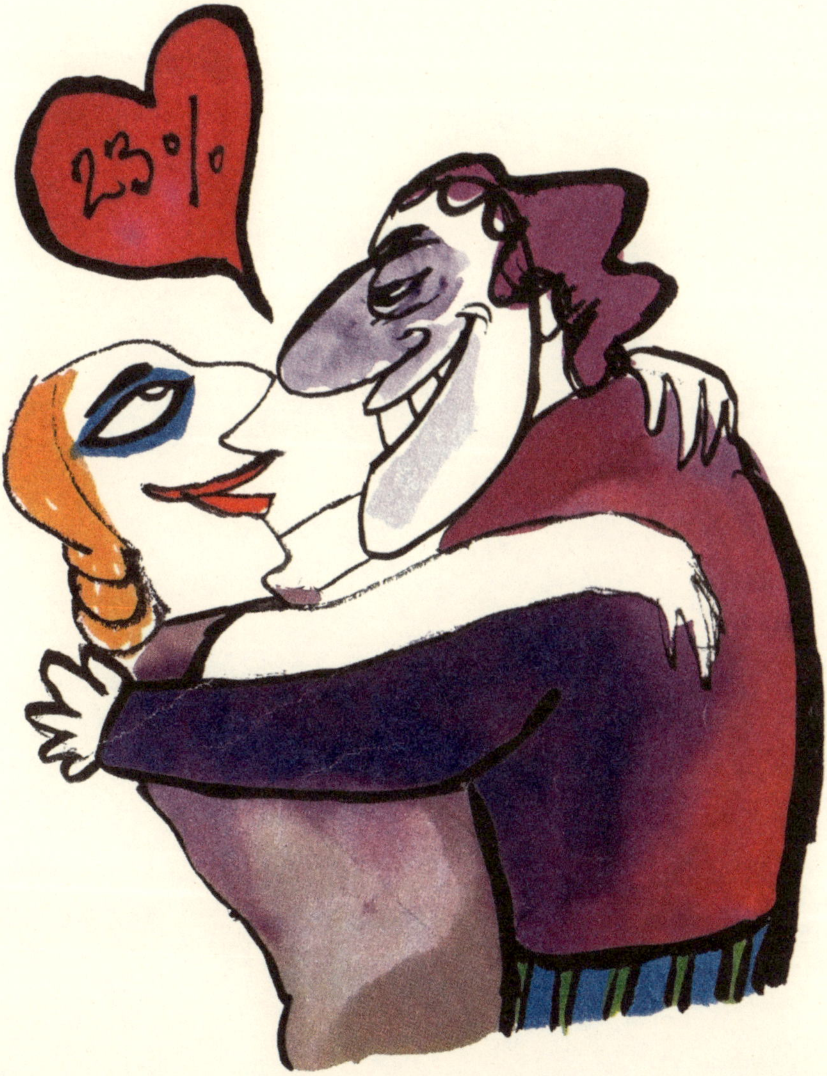
23%

Os homens não fervem à mesma temperatura.

TE CONFORMA, BICHO; A VIDA É CHEIA DE ALTOS E BAIXOS

À noite (na penumbra aconchegante
das alcovas permissivas),
todos os pardos são gatos.

E COMO VAI TEU MARIDO? CONTINUA HOMEM?

A importância leva mais gente ao cemitério
do que a impotência.

NUMA NOITE ASSIM, DE BAIXO DESSE CÉU INCOMENSURÁVEL, MILHARES DE GALÁXIAS, MILHÕES DE ASTROS, DIANTE DO UNIVERSO INFINITO, AÍ É QUE O SER HUMANO SENTE O VERDADEIRO VALOR DA SUA PREPOTÊNCIA

Quando a bajulação não atinge seu objetivo,
você pode estar certo de que não é por falta de vaidade
do bajulado – é por incompetência do puxa-saco.

Fopos de Esábula

Uma tentativa de contar as histórias como no tempo em que os animais falavam.

O MACORVO E O CACO

Andesta na florando um enaco macorme avistorvo um cou com um beço pedalo de quico no beijo. "Ver comou aqueijo quele ou não me chaco macamo." Vangloriaco o macou-se de sara pigo consi. E berrorvo para o cou: "Oládre compá! Voçá estê bonoje hito! Loso, maravilhindo! Jami o vais tem bão! Nante, brilhio, luzidegro. Poje que enso, se quisasse canter, sua vém tamboz serela a mais bia de testa a florada. Gostari-lo de ouvia, comporvo cadre, per podara dizodo a tundo mer que vocé ê o Rássaros dos Pei". Caorvo na cantida o cado abico o briu a far de cantim sor melhão cansua. Naturalmeijo o quente cão no chiu e fente imediatamoi devoraco pelo astado macuto. "Obriqueijo pelo gado!", gritiz o felaco macou. E a far de provim o mento agradecimeu var lhe delho um consou:

Moral: Jamie Confais em Pacos-suxa.

Entre o riso e a lágrima
quase sempre há apenas o nariz.

ELES ESTÃO SÓ QUERENDO ARRANJAR UMA BOCA

De todas as taras sexuais,
não existe nenhuma mais estranha
do que a abstinência.

AMAI-VOS
UNS AOS OUTROS!

ACHO QUE ACABEI
DE INVENTAR O SEXO GRUPAL.

A Academia Brasileira de Letras
se compõe de 39 membros e um morto rotativo.

O ÚLTIMO CHÁ DA ACADEMIA

II DA SÉRIE O CIRCO

Não existe o japonês individual.

MILLÔR

OLHA AQUI, SE DEUS EXISTISSE MESMO, COM TANTOS MILHÕES DE TURISTAS JAPONESES TIRANDO FOTOGRAFIA DE TODO O MUNDO EM TODO O MUNDO O TEMPO TODO, ALGUM JÁ TINHA FOTOGRAFADO **ELE** DISTRAÍDO

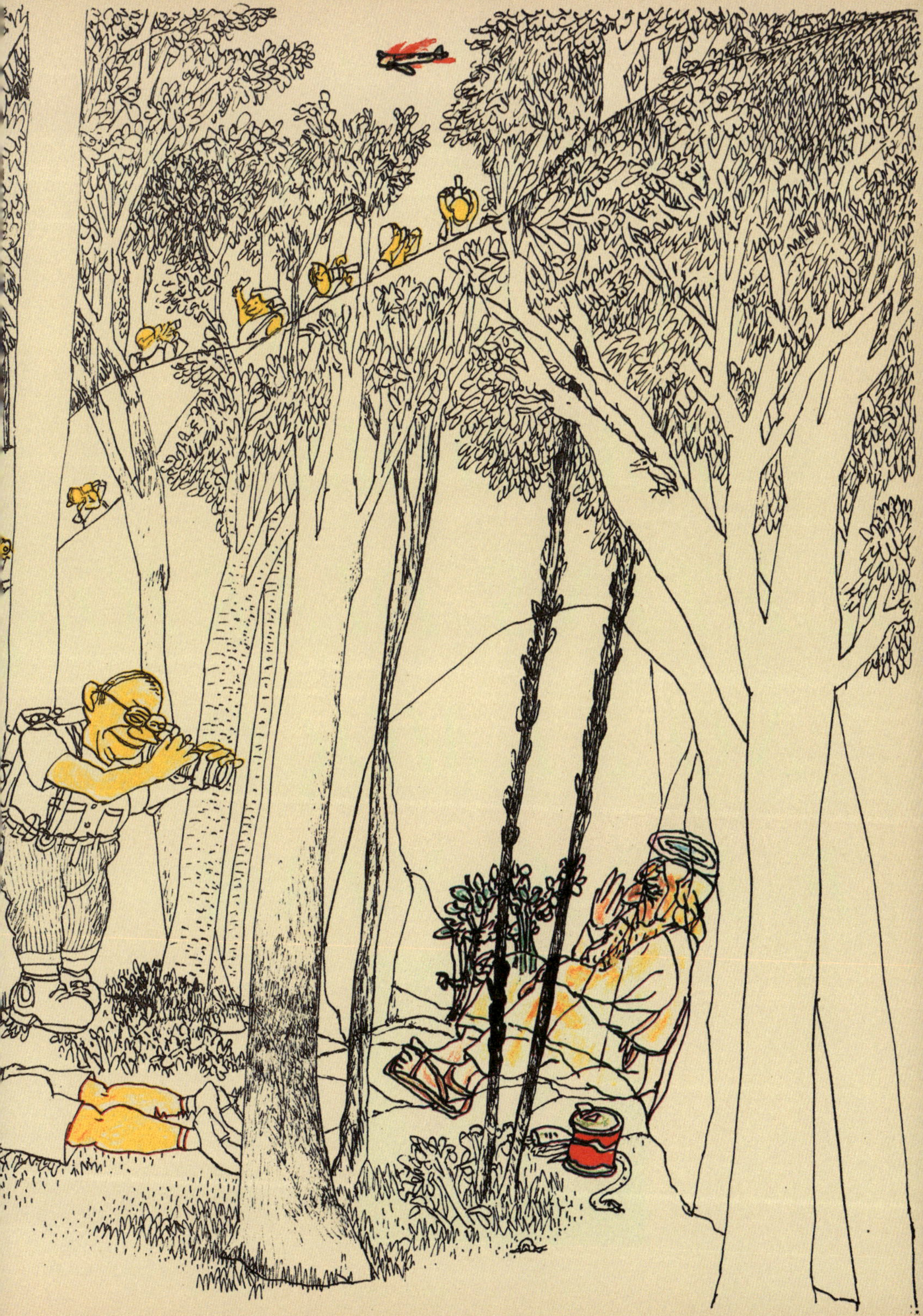

Temos que começar por baixo.
Como os Estados Unidos, por exemplo.
Eles começaram com um país só.

O PIF·PAF

CADA NÚMERO É EXEMPLAR

CADA EXEMPLAR É UM NÚMERO

APONTAMENTOS PARA UMA ENCICLOPÉDIA BRITANICA BRASILEIRA

A Geografia

Não gosto da direita porque ela é de direita,
e não gosto da esquerda porque ela é de direita.

E ANANIAS DISSE A CAIFÁS:
"SE FORDES PELA DIREITA, EU IREI PELA ESQUERDA.
SE FORDES PELA ESQUERDA, EU IREI PELA DIREITA"!
¡IDE!

Nos momentos de perigo é fundamental manter
a presença de espírito, embora o ideal
fosse conseguir a ausência do corpo.

ESCUTA AQUI, BICHO: PENSANDO BEM, NÃO É MELHOR A GENTE RESOLVER ESSE CASO NUMA MESA DE NEGOCIAÇOES?

O arroto é um som burguês, incompreensível entre os pobres.

— E como se chama esse horrendo animal?

— É um trabalhador limpando a jaula.

Deus é bom.
Está é muito mal cercado.

ro que possuem (os intelectuais são fàmente subornáveis), mas pelo fato de rem intelectualmente brilhantes. Assim, mite seu falar, quando estiver com nte supostamente talentosa (eu, por emplo), a perguntas simples: "De onde você é, Millôr?", "Parece que vai over, hein, Leo Gilson?", "Quanto mpo você leva pra pintar um quadro, ike Lee?", e verá que todos dirão que senhor é um monarca inteligentíssimo cultíssimo. Jamais caia na asneira de ncorrer no terreno dêsses intelectuais, zendo, assim como quem não quer nada: "O preço da liberdade é a eterna vigilância", "Se o triângulo tivesse um eus, o Deus teria três lados", "O teor cognoscência epistemológica é seme um fator diuturno de posteriores realtas". Será morto ou destituído, ou orto e destituído, ou destituído e morna mesma hora.

11) Regicídio não anda muito em oda, ùltimamente. O que anda mais em oda é mesmo presidenticídio ou candiaticídio ou lidernegicídio. Mas é mpre bem tomar cuidado, porque maco tá dando sopa por aí, nesse Bra. Colête à prova de bala, conforme se be, nunca salvou ninguém de uma boa cada no cangote e muito menos de uma a bomba entre as pernas. Se o senhor er mesmo proteger o peito, um hábito ais salutar, e menos vergonhoso, é o usar medalhas e crachás em pencas. iás, as condecorações foram feitas, cipuamente, com êsse fim. A vaidaveio depois.) Como proteção maior, sempre bom escolher grandes minisos, que o amparem da ira dos fanátis. Quando falo grandes ministros, uso duplo sentido de propósito. Se fôr um ande ministro, talentoso e honesto, o nhor será mais popular e correrá meo risco. Se o ministro fôr apenas fisimente grande, o senhor o usará como cudo em qualquer ataque. Se fôr grane grande, tanto melhor.

12) O senhor deve monarquizar imeatamente os seus hábitos sexuais, ando com larguezas de vistas (e outras guezas) pessoas de classes inferiores, sde que belas (os monarcas são dados essas **incongruências** e o senhor teve n tatatatatatataratio que foi um coa no assunto, valha o têrmo). Não hee.

13) Faça de sua assinatura uma firma ainda mais irreconhecível e elaborada do que a atual. Acrescente pernas, florões e manchas peculiares até que ela seja inimitável ou insubstituível.

14) Eu sei que o senhor mora esplêndidamente bem, mas, se repôsto no trono a que tem todo o direito, deverá habitar de nôvo as amplidões incríveis dos palácios governamentais. É natural que o senhor construa outros palácios que não os atuais, pequenos e mesquinhos para todo um passado de reivindicações. Vá treinando os novos espaços com que terá que conviver, passando dias na Biblioteca Nacional, Museu de Belas-Artes e Quinta da Boa Vista. Visite também a estação da Central, o aeroporto do Galeão (muito pequeno, mas serve para lhe dar a idéia da garagem do seu futuro palácio). Aliás, o aeroporto serve para um treino essencial. Fique lá bebendo chope durante quatro horas e depois caminhe com tôda dignidade até encontrar o pipisório, 2 quilômetros adiante. Em seu palácio o senhor jamais estará a menos de vinte salas de distância do reservado para monarcas em exercício.

15) Tenha uma ou duas espôsas morganáticas no decorrer de sua gestão.

16) Tenha, porém, uma espôsa definitiva, que seja da realeza. É preciso combater a terrível tendência atual a procurar laços populares que, todos sabem, são o câncer das grandes dinastias. De qualquer forma, assim que se interessar por uma jovem, avise imediatamente o **Paris-Match** para que êle faça uma reportagem em côres com o senhor.

E é só. Agora um teste, para apurar o resultado de tudo que está escrito acima:

A — Você ficou meio sôbre o ofendidão em ser aconselhado por um plebeu, que de monarquia só visitou duas vêzes o Museu de Petrópolis e quase foi reprovado em História do Brasil? B — Você teve que ir no dicionário para saber o que é epistemologia? C — Ficou meio sôbre o chateadão com a falta de respeito e o tratamento impróprio (eu não sei mesmo como se trata majestade, podes crer) com que foi chamado? D — Você mandou alguém ao dicionário para saber o que é epistemologia? E — Você leu tudo alto, com a maior cara de pau e senso de humor? F — Você chamou o seu irmão, que também é pretendente mas disfarça com comportamento democrático, e disse: "Ói, João, o teu amigo resolveu nos gozar agora"? G — Você nem tomou conhecimento do artigo, pois não lê senão heráldica e genealogia?

Resposta — Se você respondeu tudo afirmativamente, você é um insuportável democrata e não terá a menor chance de permanecer no trono. Se você chamou um secretário, mandou responder às perguntas e assinou sem sequer olhar, você tá no bom caminho.

P.S. CONSELHO FINAL: Governar, mesmo monàrquicamente, é chato. Uma vez no poder, você bem pode se entregar aos piores vícios, conhecidos ou desconhecidos, tal a enchução que é ficar sentadão num trono oito horas por dia, de sol a sol. É bom, portanto, ir, desde logo, se viciando em alguma coisa, para que esteja bastante prático e agüentar bem, quando necessitar de um vício oficial.

E tenha sempre em ordem os seus papéis. A coisa mais humilhante para um soberano é, quando deposto, não poder ser mandado pra fora do país porque seus papéis não estão em ordem.

O sujeito que me fará acreditar na imortalidade
da alma ainda está pra ressuscitar.

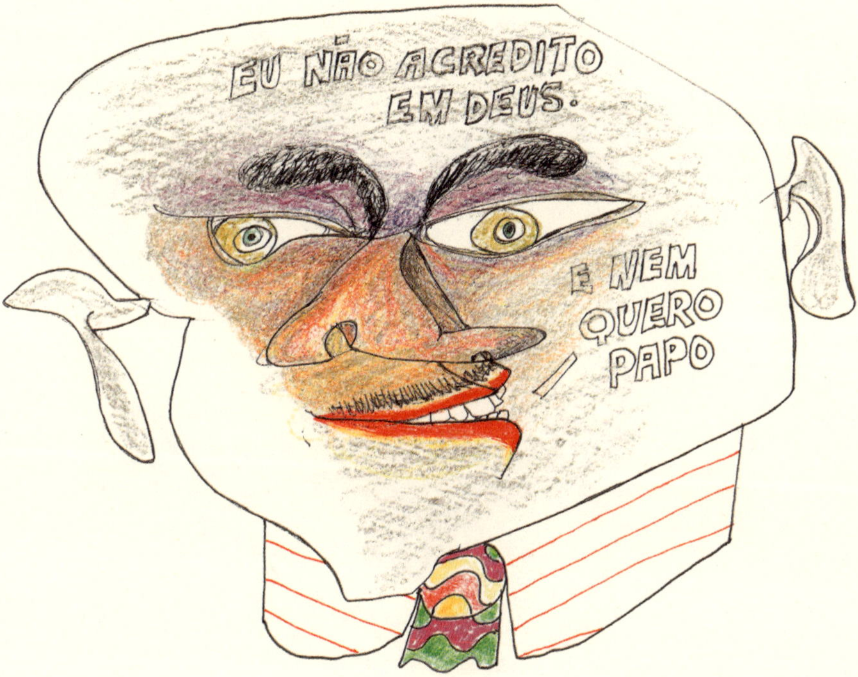
EU NÃO ACREDITO
EM DEUS.
E NEM
QUERO
PAPO

Político é um sujeito que convence todo mundo
a fazer uma coisa da qual ele não tem a menor convicção.

PUXA, QUE DECEPÇÃO! VOCÊ ME PERSEGUIU COM TODAS AQUELAS PROPOSTAS MARAVILHOSAS, E AGORA...
ORA, QUERIDA, ERA SÓ UMA PLATAFORMA DE CAMPANHA, NÃO UM PROGRAMA DE AÇÃO.

Bahia – a maior agência de publicidade do mundo.

O RIO DE JANEIRO

CONTINUA LINDO

O bêbado é o subconsciente do abstêmio.

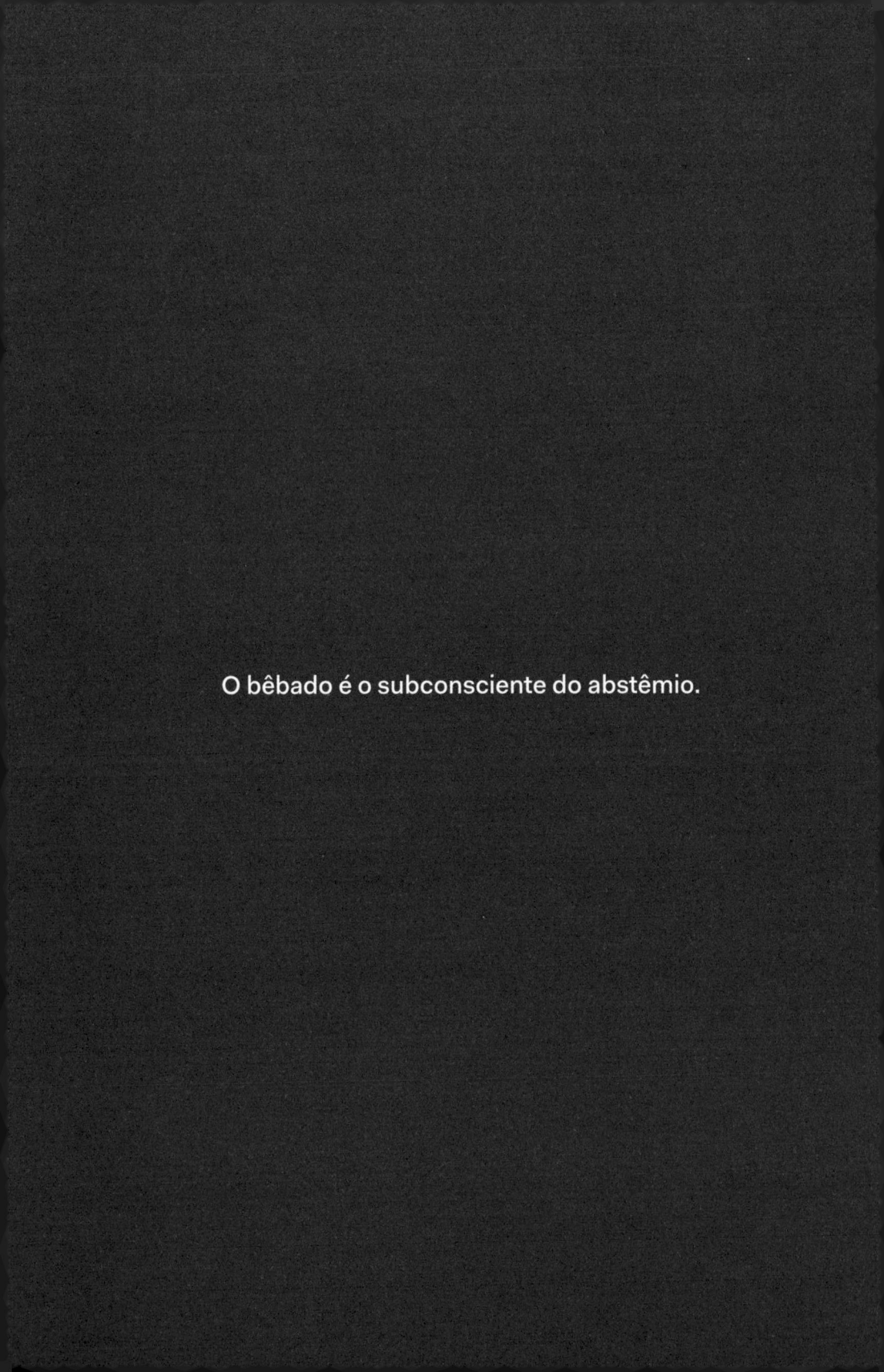

É EVIDENTE QUE QUANDO EU DISSE QUE IA DEIXAR DE BEBER ESTAVA BÊBADO.

O bolero não morrerá enquanto houver
um coroa tomando banho de chuveiro frio.

Todos os grupos são apenas
agências de emprego para seus membros.

E PRA MIM... NADA? VOCÊS ACHAM QUE EU SOU INCORRUPTÍVEL?

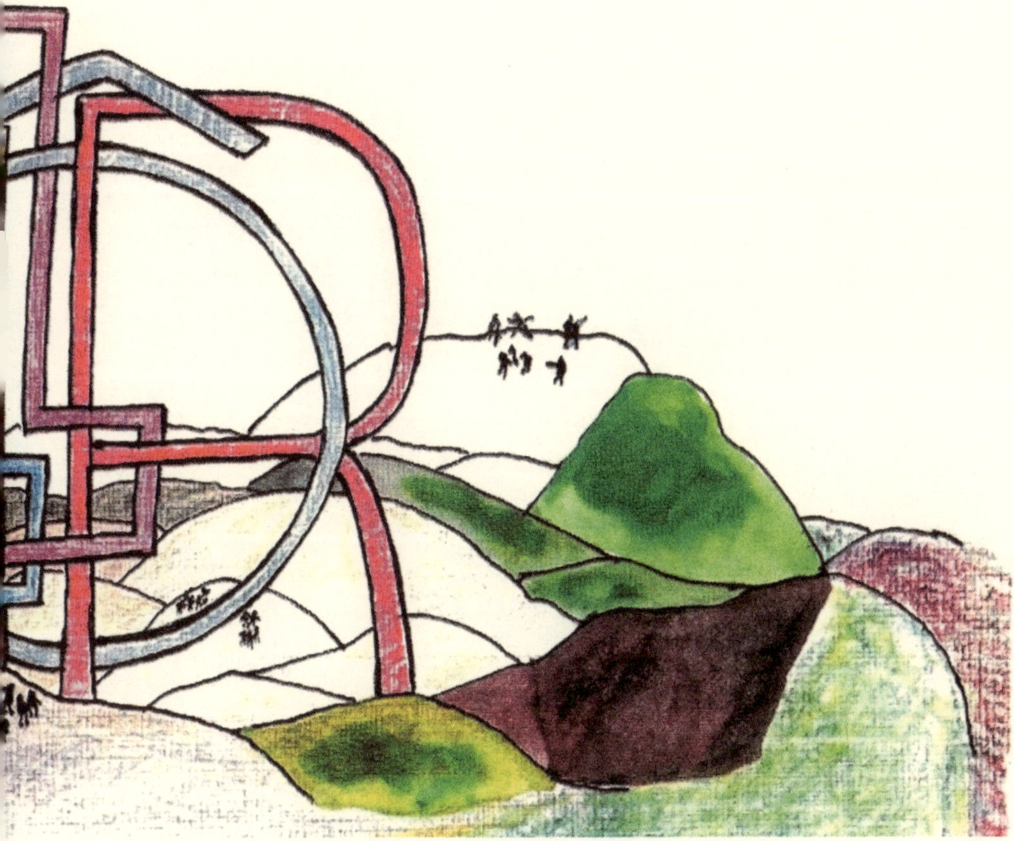

Nada é certo neste mundo –
a não ser o telefone tocar quando
você está sozinho em casa
e acabou de sentar no vaso.

— ESTETICAMENTE EU ACHO VÁLIDO, MAS NÃO ACHO FUNCIONAL.

MILLÔR

Baiano só tem pânico no dia seguinte.

MINEIRO

Os corruptos são encontrados em várias partes do mundo, quase todas no Brasil.

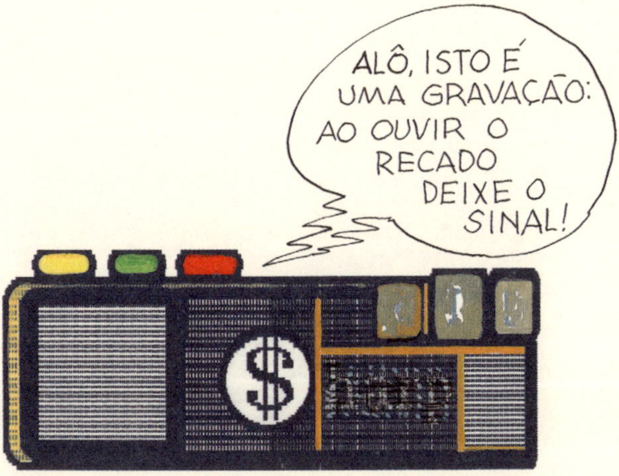
ALÔ, ISTO É UMA GRAVAÇÃO: AO OUVIR O RECADO DEIXE O SINAL!

A credibilidade de um país é inversamente proporcional aos juros que os banqueiros internacionais lhe cobram.

É PROIBIDO COMER A GRAMA

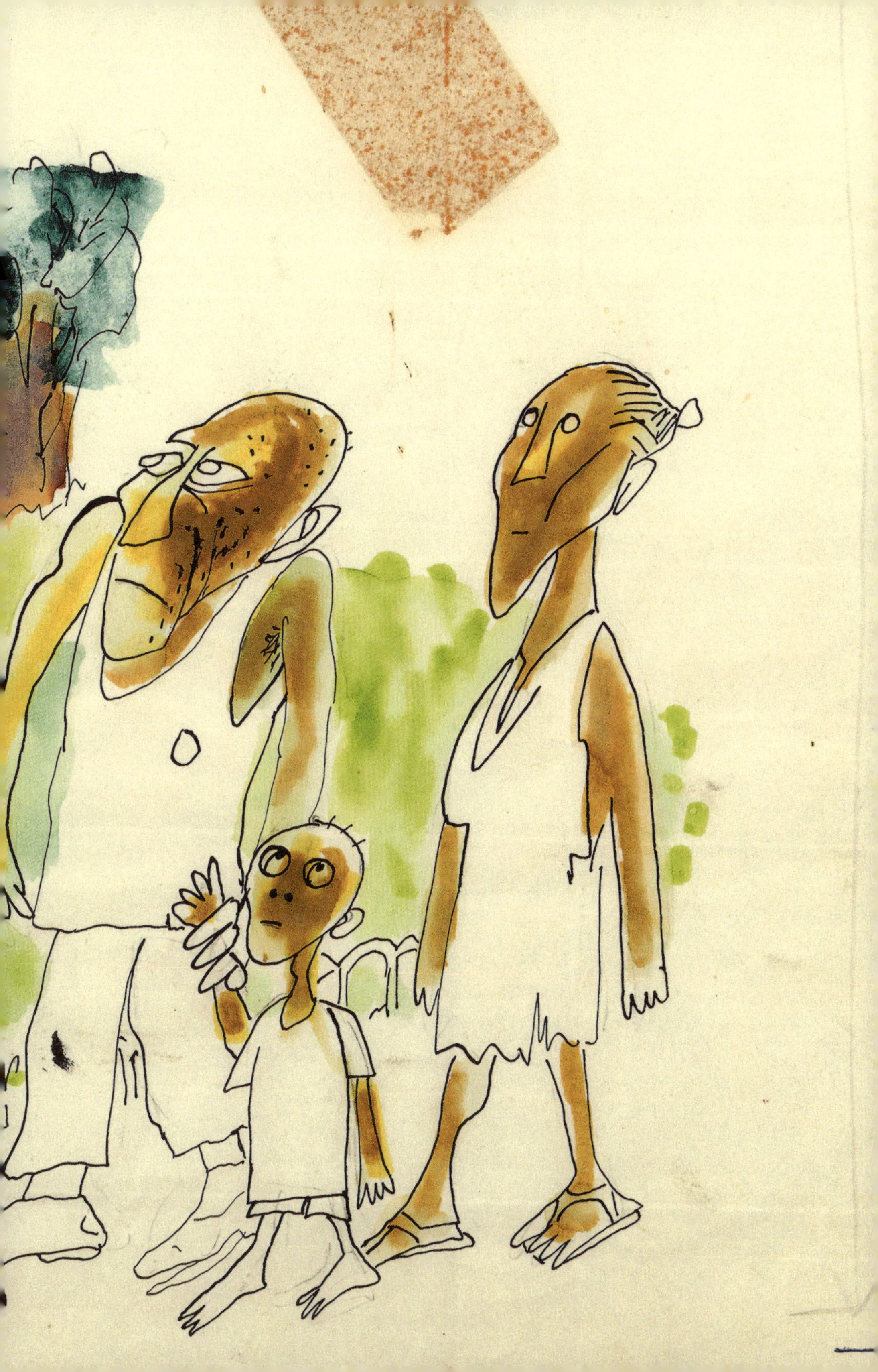

A curiosidade mórbida é a mãe do vidro fumê.

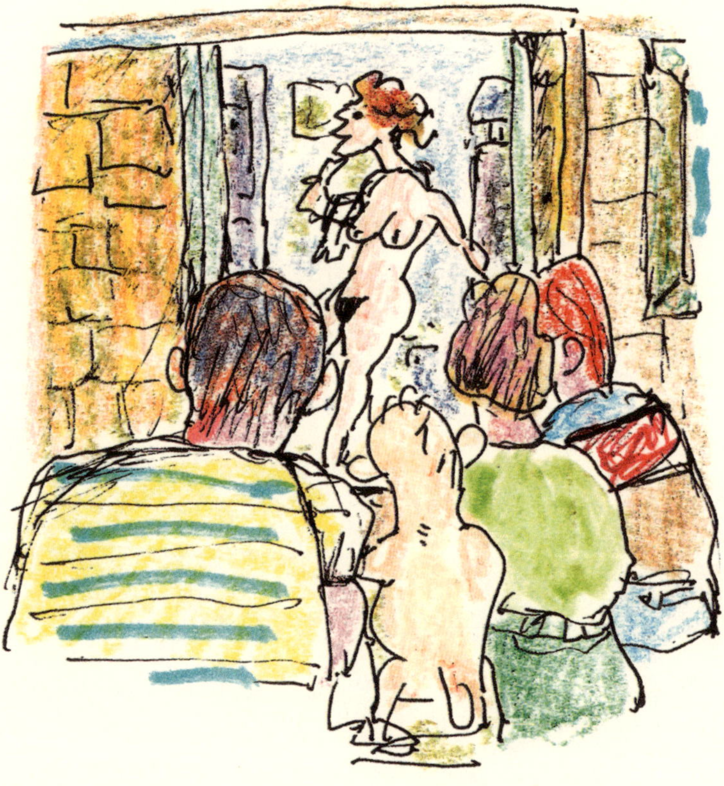

Não haverá democracia enquanto
eu for obrigado a escrever deus com D maiúsculo.

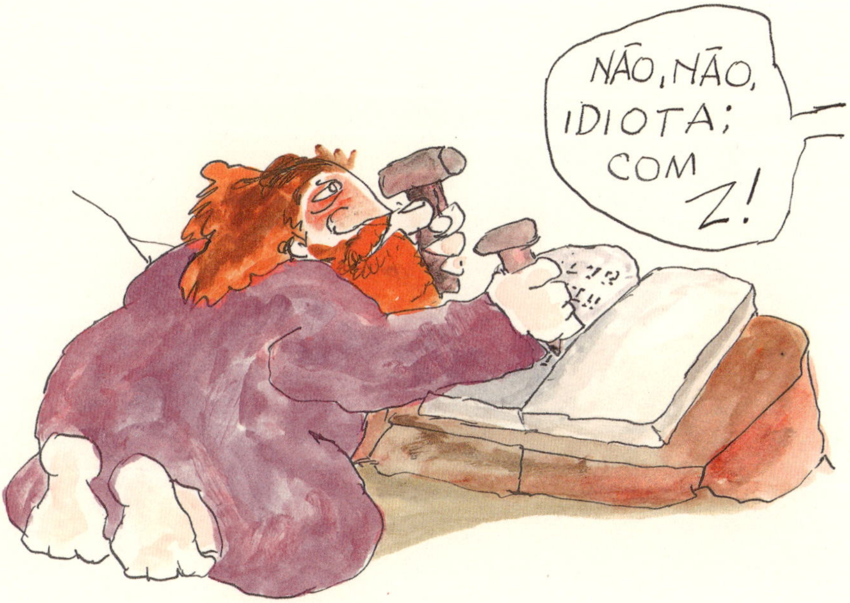
NÃO, NÃO, IDIOTA; COM Z!

O problema da democracia é que quando o povo toma o palácio, não sabe puxar a descarga.

USIM

PÔ, PRIVATI-
ZARAM MESMO!

O mal do mundo é que Deus e o Diabo envelheceram,
mas o Diabo fez plástica.

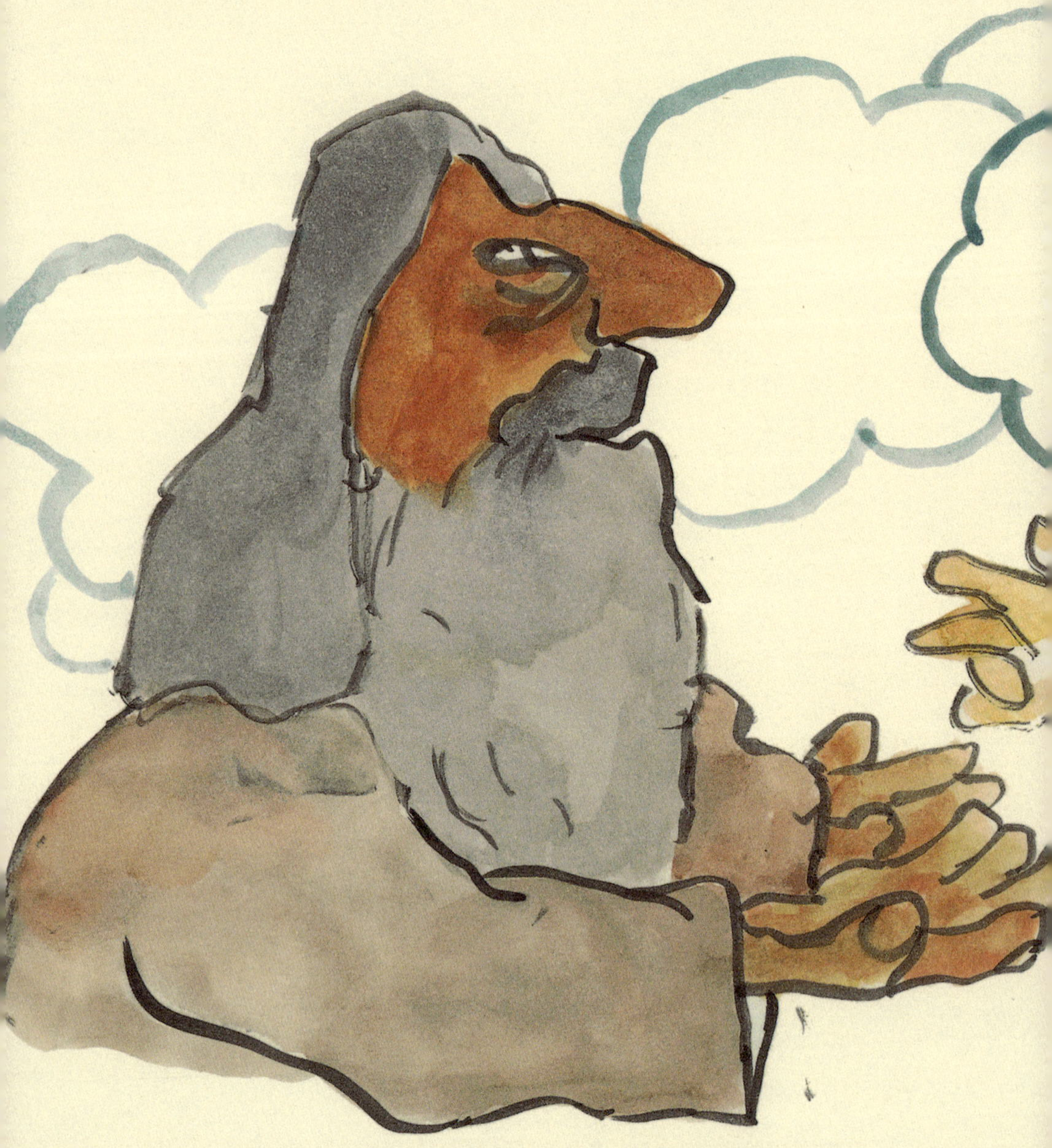

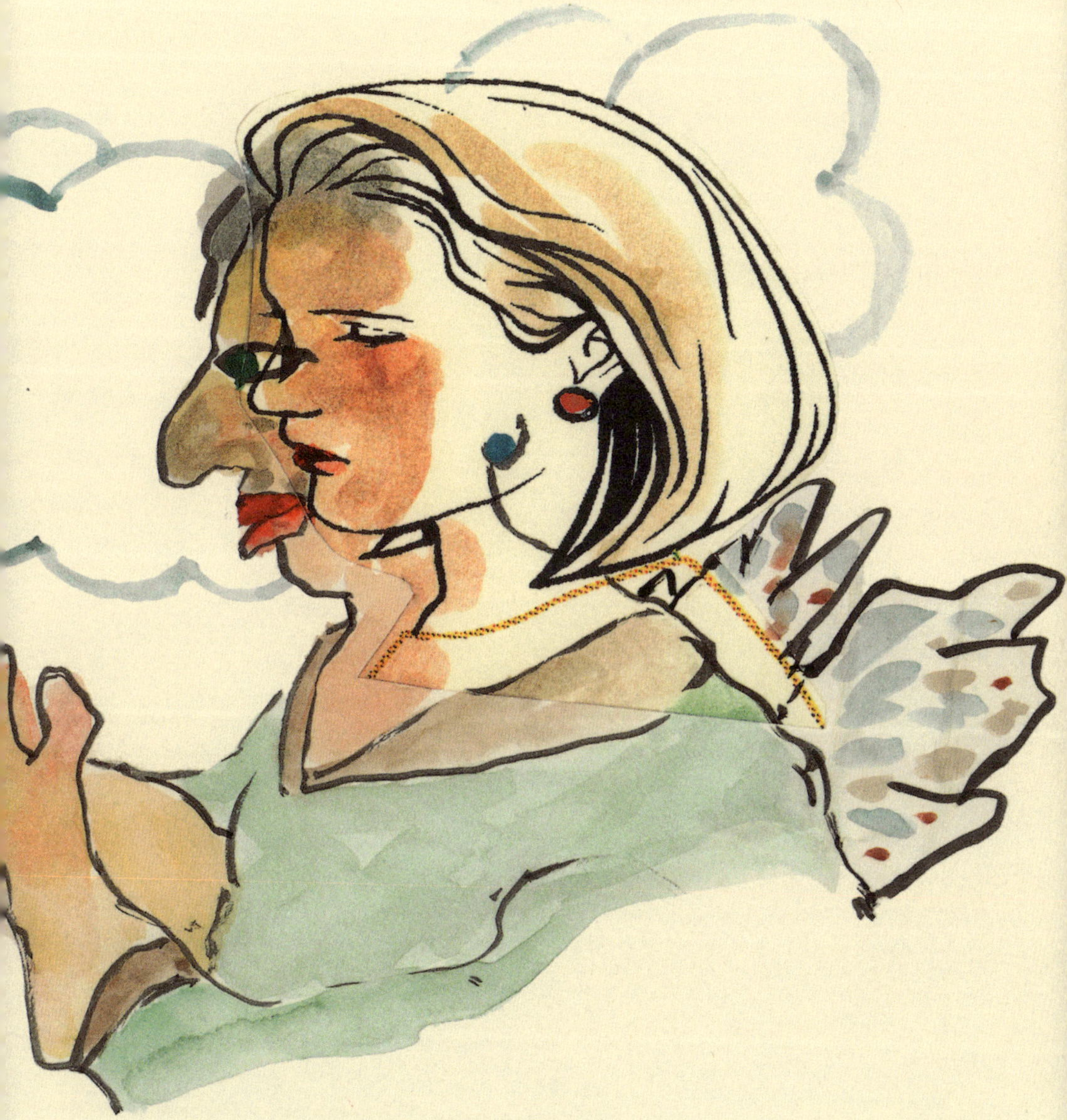

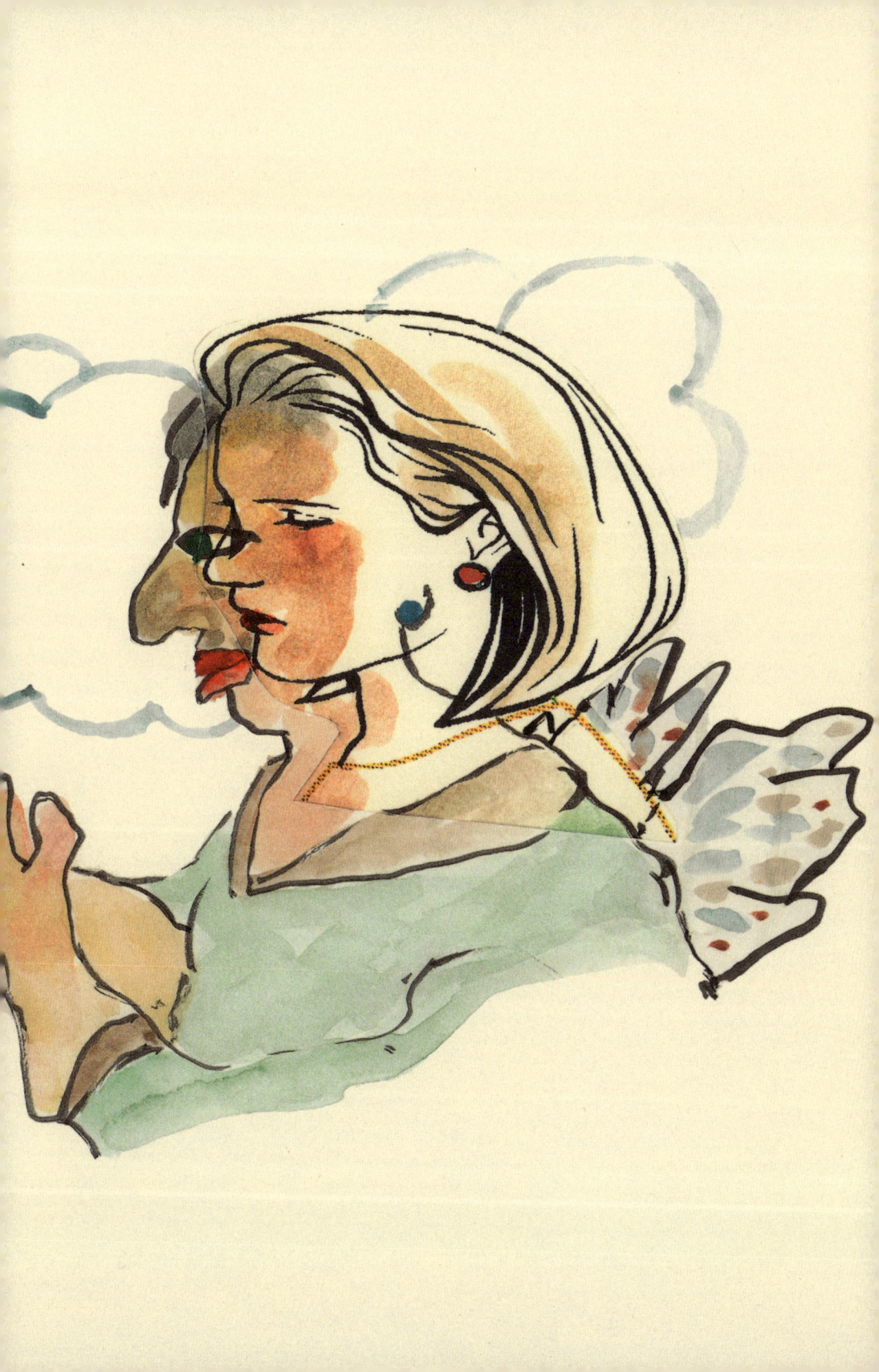

Os socialistas são contra o lucro.
Os capitalistas são apenas contra o prejuízo.

EU SEI; ELES QUEREM O PÃO, NÓS DAMOS O PÃO. DADO O PÃO, LOGO ELES QUERERÃO A MANTEIGA. DAÍ À PARTICIPAÇÃO NOS LUCROS É SÓ UM PASSO!

Um escritor só é realmente famoso
quando seus erros de linguagem passam a ser
considerados regras gramaticais.

CUIDADO PESSOAL; HOJE É DIA DA MINHA POSSE E A PATOTA DO PASQUIM VEM AÍ. NÃO QUERO NINGUÉM CASTIGANDO O ESTILO!

O problema de ficar na fossa é que lá só tem chato.

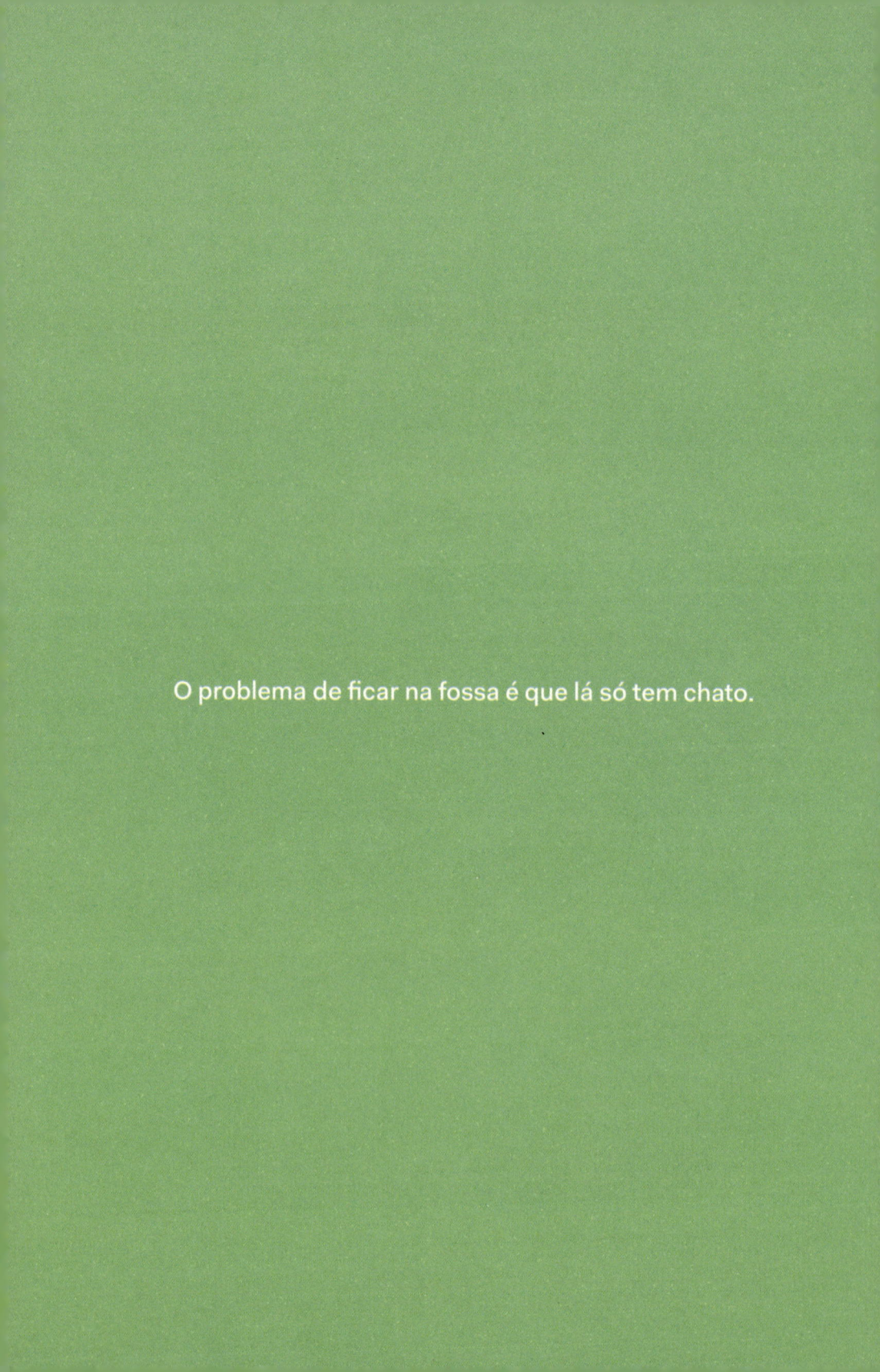

ATÉ O DESESPERO, TUDO BEM. O DIFÍCIL É AGÜENTAR ESSA ESPERANÇA.

Não existe tendência para engordar.
Existe tendência para comer.

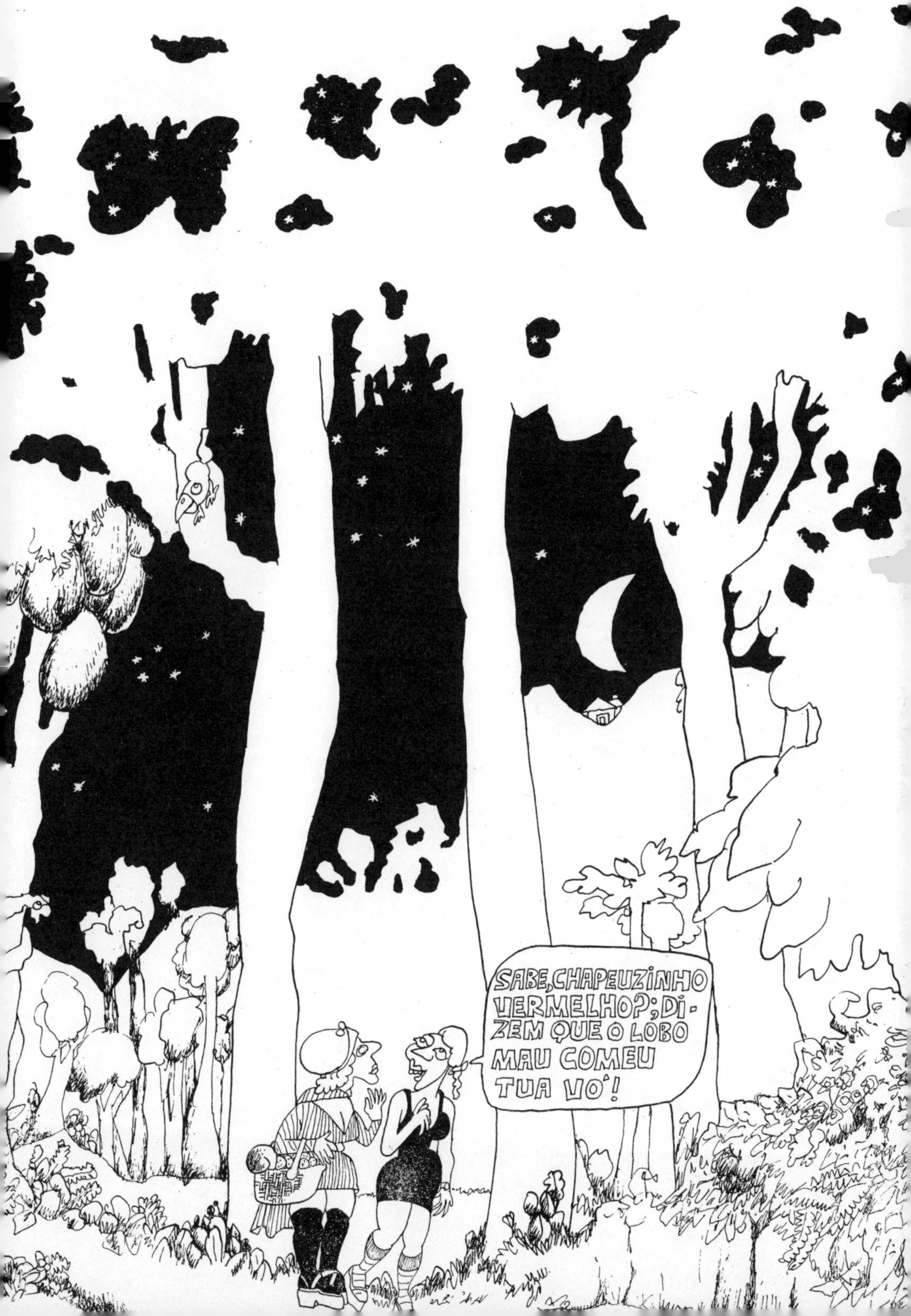
SABE, CHAPEUZINHO VERMELHO?; DI-ZEM QUE O LOBO MAU COMEU TUA VÓ!

Cada ideologia tem a Inquisição que merece.

Millôr e os canais competentes

"NADA CONSTA!"

Quando uma ideologia fica bem velhinha
vem morar no Brasil.

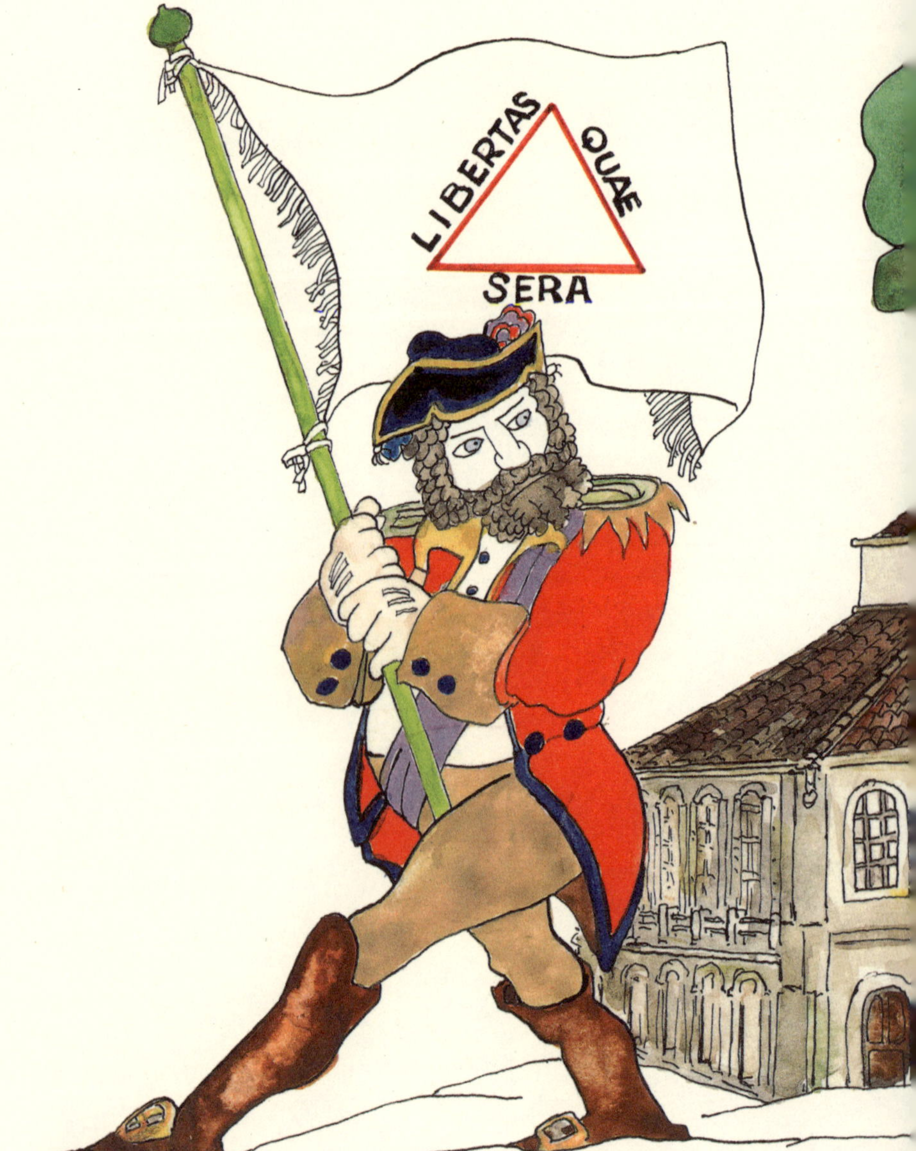
LIBERTAS QUAE SERA

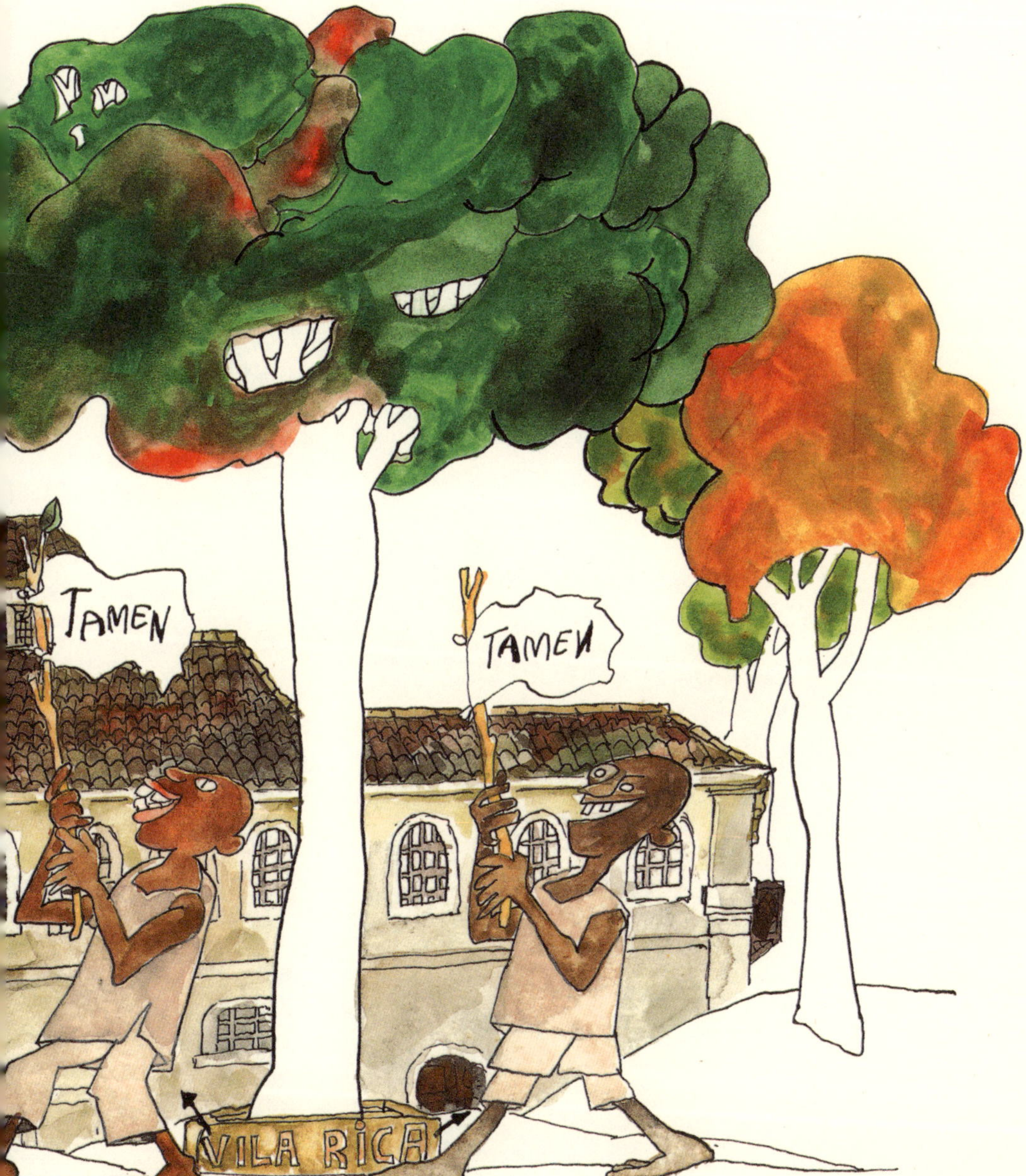
TAMEN
TAMEN
VILA RICA

O pior não é morrer.
É não poder espantar as moscas.

MILLÔR FERNANDES
1924 — 1983
MAS NUNCA CHEGOU
A ENTENDER O PLANO
GERAL.

Há males que vêm pra pior.

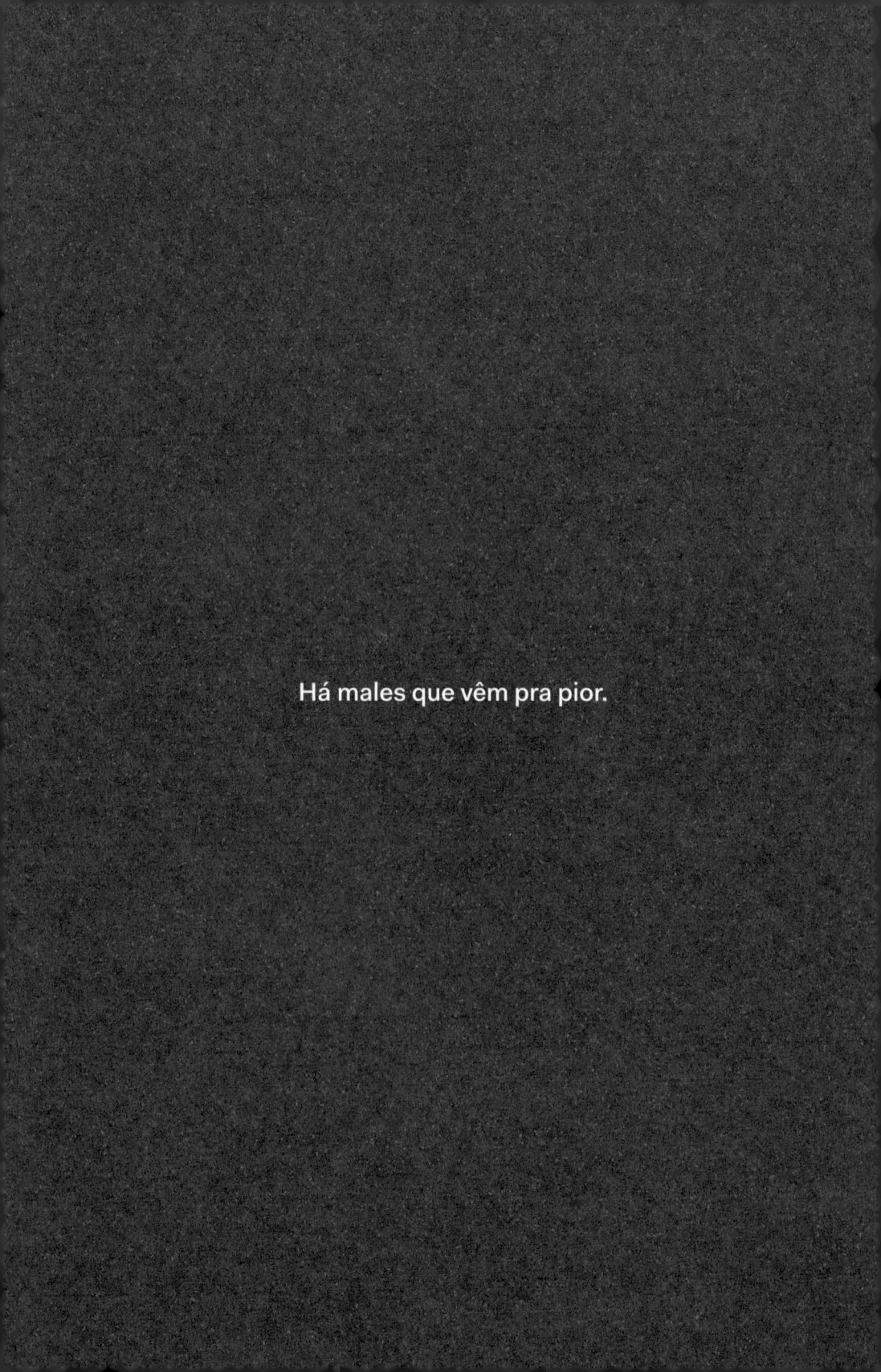

A TELEVISÃO TÁ PERFEITA,
MADAME. A REALIDADE É
QUE ENGUIÇOU.
MILLÔR

Quem não tem memória sabe tudo de olvido.

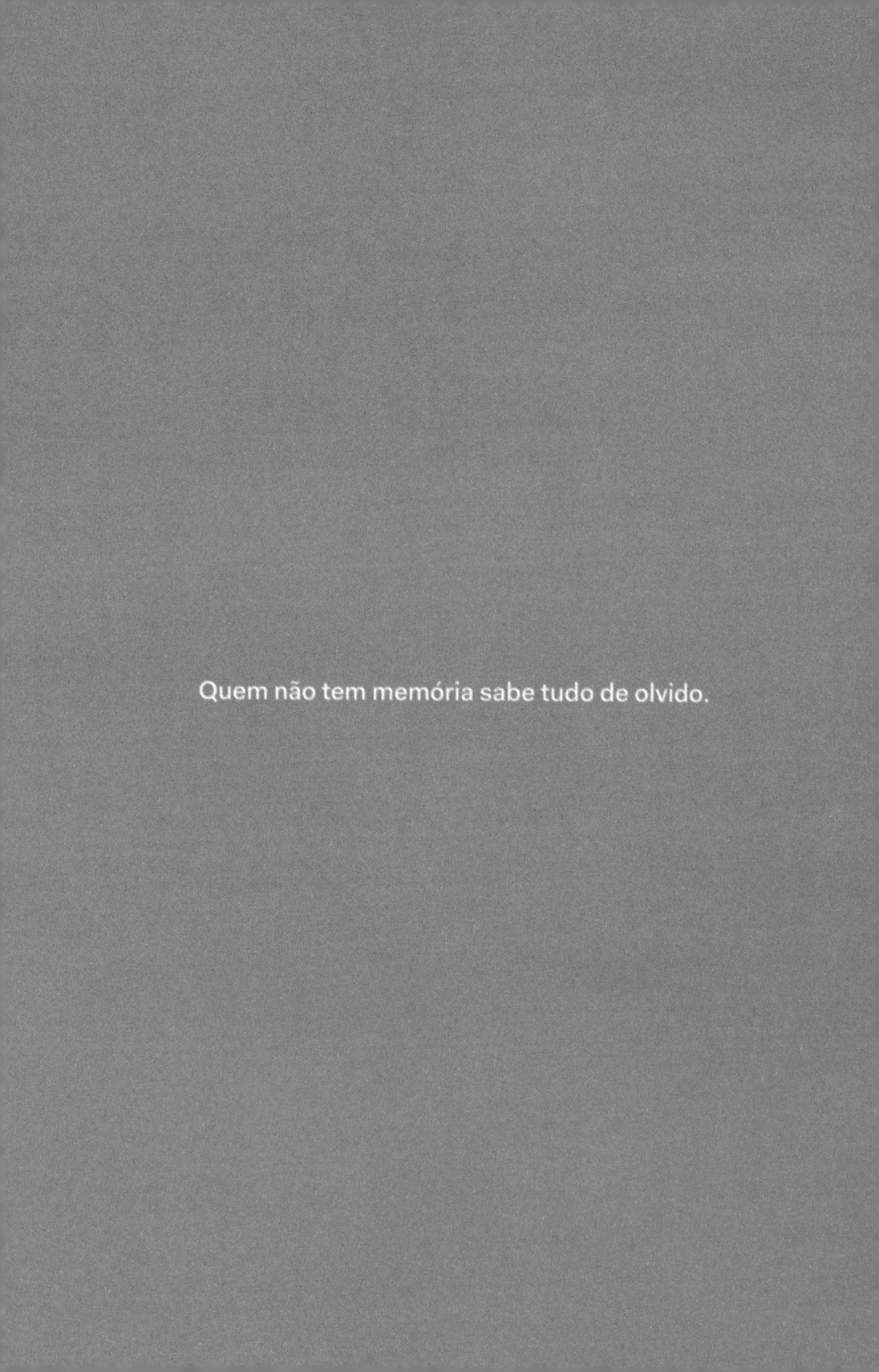

TUDO QUE EU APRENDI JÁ ESQUECI. SÓ LEMBRO AGORA O QUE NÃO SEI

O maior erro de Noé foi não ter matado as duas baratas que entraram na Arca.

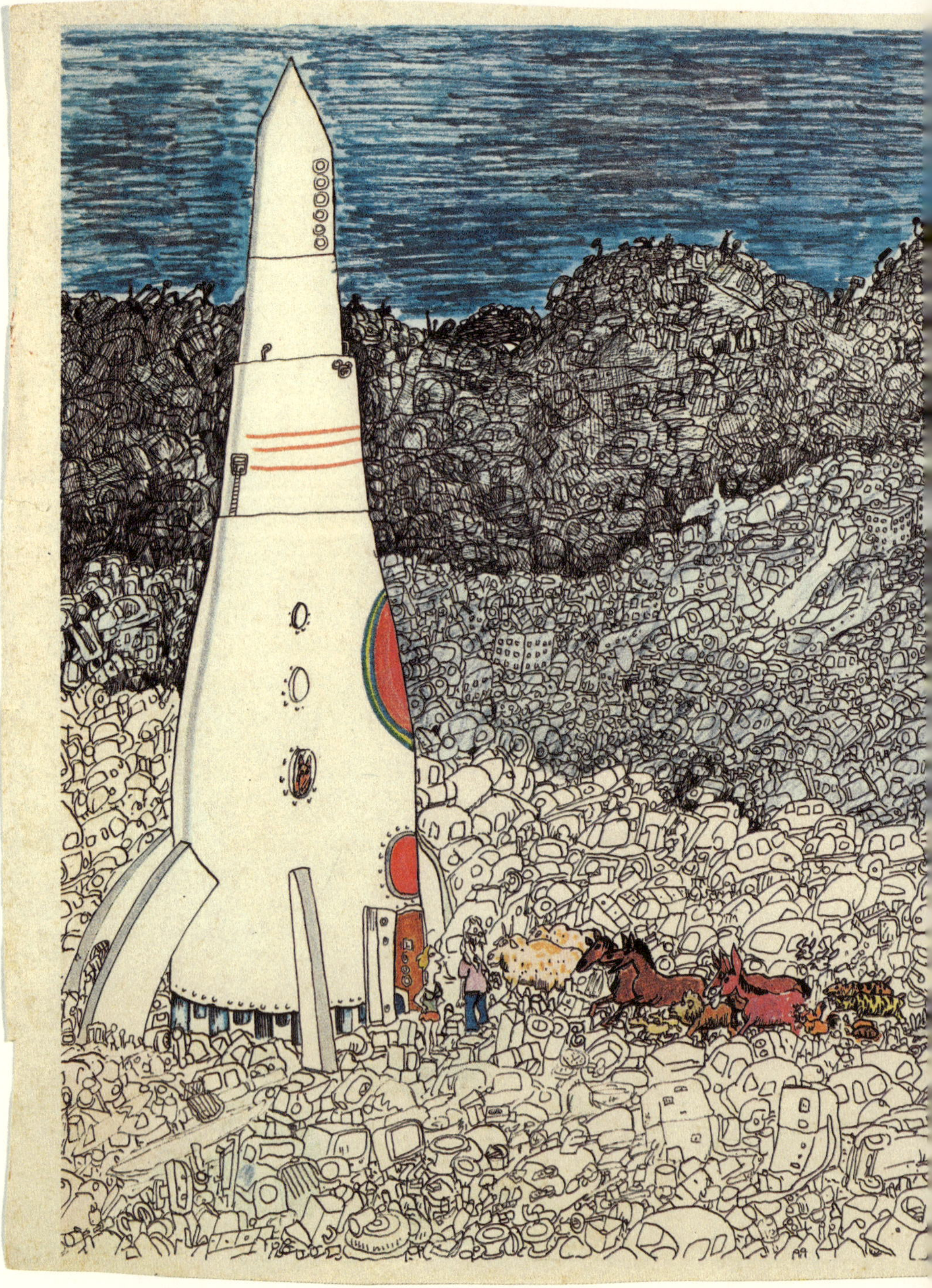

MILLÔR
ENFIM, UM ESCRITOR SEM ESTILO

Millôr 1973

No Nordeste nu explícito é esqueleto.

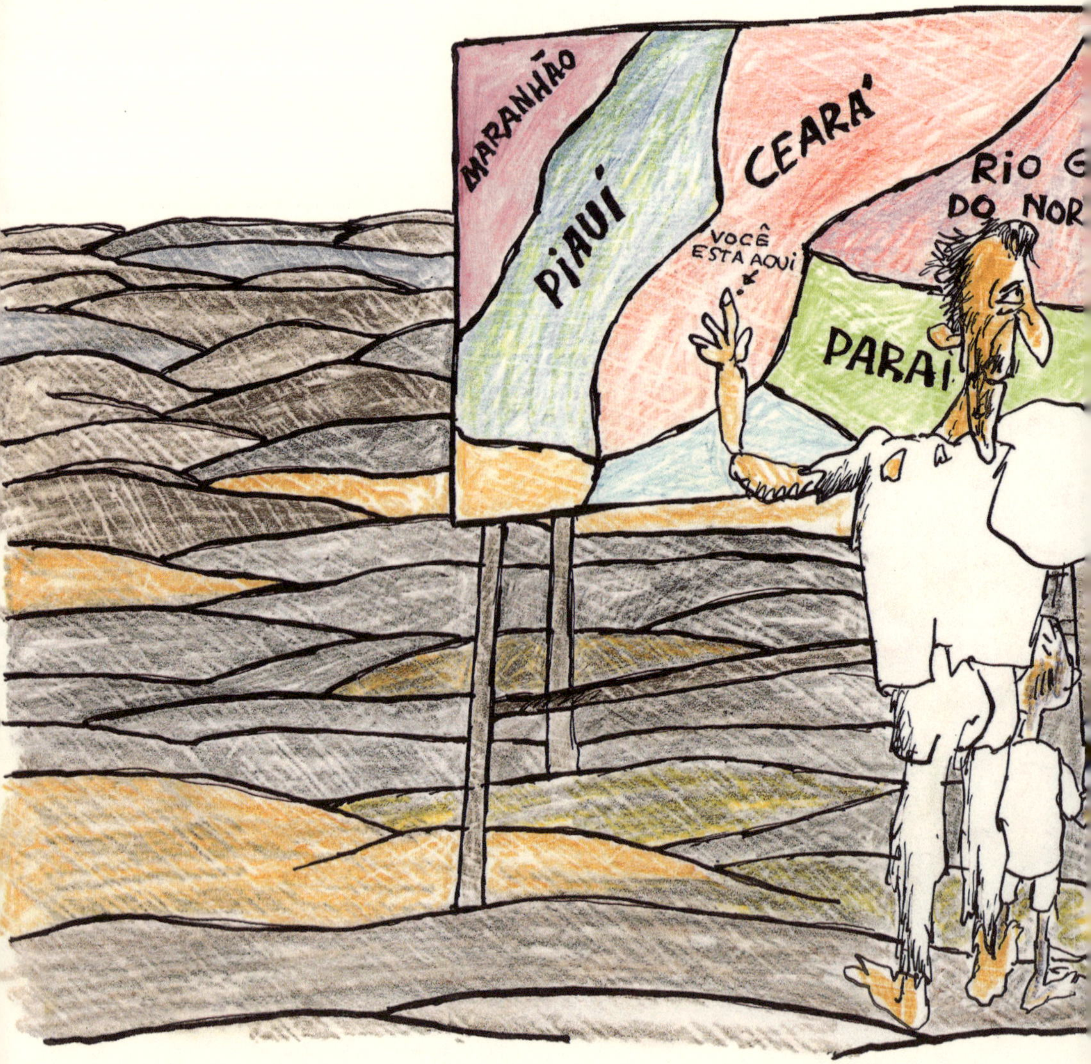
MARANHÃO
PIAUÍ
CEARÁ
RIO G
DO NOR
VOCÊ ESTÁ AQUI
PARAÍ

—EU NÃO DISSE QUE A GENTE NÃO ESTAVA PERDIDO?

Quando você está fora de si,
o pessoal vê melhor o que você tem dentro.

OLHA, SE VOCÊ VAI FICAR ASSIM TODA VEZ QUE TE CHAMAM DE LADRÃO, O MELHOR É DEIXAR LOGO A MAGISTRATURA.

INSTITUTO MOREIRA SALLES

Walther Moreira Salles (1912-2001)
FUNDADOR

DIRETORIA EXECUTIVA

João Moreira Salles
PRESIDENTE

Gabriel Jorge Ferreira
VICE-PRESIDENTE

Mauro Agonilha
Raul Manuel Alves
DIRETORES EXECUTIVOS

CONSELHO DE ADMINISTRAÇÃO

João Moreira Salles
PRESIDENTE

Fernando Roberto Moreira Salles
VICE-PRESIDENTE

Gabriel Jorge Ferreira
Pedro Moreira Salles
Walther Moreira Salles Junior
CONSELHEIRO

ADMINISTRAÇÃO

Flávio Pinheiro
SUPERINTENDENTE EXECUTIVO

Samuel Titan Jr.
Jânio Gomes
COORDENADORES EXECUTIVOS

Odette J.C. Vieira
COORDENADORA EXECUTIVA DE APOIO

Elvia Bezerra
COORDENADORA | LITERATURA

Luiz Fernando Vianna
COORDENADOR | INTERNET

Bia Paes Leme
COORDENADORA | MÚSICA

Sergio Burgi
COORDENADOR | FOTOGRAFIA

Thyago Nogueira
COORDENADOR | FOTOGRAFIA CONTEMPORÂNEA

Heloisa Espada
COORDENADORA | ARTES

Julia Kovensky
COORDENADORA | ICONOGRAFIA

Marília Scalzo
COORDENADORA | COMUNICAÇÃO

Elizabeth Pessoa
Odette J.C. Vieira
Vera Regina Magalhães Castellano
COORDENADORAS | CENTROS CULTURAIS

© Instituto Moreira Salles, 2014
© by Ivan Rubino Fernandes

COORDENAÇÃO EDITORIAL
Julia Kovensky, Paulo Roberto Pires
e Samuel Titan Jr.

ASSISTÊNCIA DE PESQUISA
Tais Zeitune e Jovita Santos
de Mendonça

ASSISTÊNCIA EDITORIAL
Flávio Cintra do Amaral

PROJETO GRÁFICO
Daniel Trench

ASSISTENTE DE DESIGN
Felipe Sabatini e Manu Vasconcelos

REVISÃO
Juliana Miasso e Sandra Brazil

PRODUÇÃO GRÁFICA
Acássia Correia

TRATAMENTO DE IMAGENS
Jorge Bastos/Motivo

IMPRESSÃO
Pancrom Indústria Gráfica

TIRAGEM 5.000 exemplares
MIOLO Pólen bold 90 g/m²
CAPA Supremo duo design 250 g/m²
FONTE Fakt

AGRADECIMENTO ESPECIAL A
IVAN FERNANDES

F41m
—
Fernandes, Millôr, 1924-2012.
Millôr 100 + 100: desenhos e frases
/ Millôr Fernandes – São Paulo: IMS,
2014. Seleção de Cássio Loredano e
Sérgio Augusto.
[264 p.] : il.
—
ISBN 978-85-8346-008-4

1. Fernandes, Millôr – Desenhos. 2.
Fernandes, Millôr – Frases. 3. Desenho.
4. Frases. I. Fernandes, Millôr, 1924-
2012. II. Loredano, Cássio (sel.). III.
Augusto, Sérgio (sel.). III. Título.

CDU 74
CDD 740

Millôr Fernandes em seu estúdio no bairro de Ipanema, 2003
Edu Simões/CADERNOS DE LITERATURA BRASILEIRA/Instituto Moreira Salles